Wolfgang Schenk
Evangelium – Evangelien – Evangeliologie

Theologische Existenz heute
Nr. 216

Herausgegeben von Trutz Rendtorff und Karl Gerhard Steck

WOLFGANG SCHENK

Evangelium – Evangelien – Evangeliologie

Ein »hermeneutisches« Manifest

CHR. KAISER VERLAG MÜNCHEN

*Im Respekt
und in der Pflicht
der Anfänge der
»Theologischen Existenz heute«
vor 50 Jahren*

BS
2331
.S3
1983

CIP-Kurztitelaufnahme der Deutschen Bibliothek

Schenk, Wolfgang:
Evangelium – Evangelien – Evangeliologie : e.
»hermeneut.« Manifest / Wolfgang Schenk. –
München: Kaiser, 1983
(Theologische Existenz heute ; Nr. 216)

ISBN 3-459-01492-X
NE: GT
© 1983 Chr. Kaiser Verlag München
Alle Rechte vorbehalten, auch die des auszugsweisen Nachdrucks,
der fotomechanischen Wiedergabe und der Übersetzung.
Fotokopieren nicht gestattet. –
Umschlag Christa Manner. – Printed in Germany.
Gesamtherstellung: Kösel, Kempten

Inhalt

Vorwort

»Vermutlich ist von 1950–75 mehr Tinte über Evangelium und Apostelgeschichte geflossen als von 80 bis 1949«, notierte Chr. Burchard zur Lukas-Forschung (ThLZ 106, 1981, 39). »Matthew's Gospel has been studied more carefully perhaps in the past hundred years than ever before«, stellte analog Jack D. Kingsbury zur Matthäus-Forschung fest (Matthew. A Commentary for Preachers and Others, London 1978, 1).

Am Ende der ersten Generation redaktionsanalytischer Forschung stellen sich eine Fülle theologischer Fragen neu. Die Mittel, mit denen man bis zur Blüte der formkritischen Arbeit die anstehenden theologischen Probleme zu bewältigen suchte, erweisen sich als nicht mehr tragfähig. Das zeitigt eine bedenkliche Verdrängung der theologischen Fragestellungen durch eine Regression in einen konfessionellen Traditionalismus einerseits und blinde Betriebsroutine andererseits. Die kirchliche Praxis stellt sich den bibelwissenschaftlich unabweisbaren Einsichten kaum. Wir stehen vor dem bedenklichen Symptom, daß die Erkenntnisse der neutestamentlichen Wissenschaft durch bestimmte Zwänge der unbeweglichen kirchlichen Praxis »überführungsgefährdet« sind.

Das aber muß nicht so sein. Die heute möglichen Mittel der Linguistik tragen nicht nur für die exegetische Arbeit im einzelnen etwas aus, sondern auch für die Konzeption einer Theologie des Neuen Testaments. Freunde, Kollegen und Schüler haben mich immer wieder genötigt, den Ansatz, den ich in meinem Aufsatz »Wort Gottes zwischen Semantik und Pragmatik« (ThLZ 100, 1975, 481–494) vorgestellt habe, weiter zu erläutern. Gelegenheit dazu gab das von Prof. Dr. Ingo Broer am 10. Juli 1981 im Fachbereich Katholische Theologie inszenierte exegetische Symposion in Siegen über die Auferweckung Jesu, bei dem die Grundzüge der vorliegenden Ausführungen in ökumenischer Weite und Wärme diskutiert werden konnten. Nachdem das Material im vergangenen Wintersemester nochmals mit meinen Göttinger und Frankfurter Studenten den Tiegel heißer Debatten durchlaufen hat, sei es der weiten Öffentlichkeit zur Diskussion gestellt.

Eppstein-Bremthal, am 31. März 1982   W. Sch.

1. Das semantische Wortfeld »Evangelium« in bezug zu Osterereignis und Ostertexten

1.1 Good News is no News: Etymologie und Semantik

Einer dringenden Bestimmung bedarf das semantische Wort-feld »Evangelium« in bezug zu Osterereignis und Ostertexten. Eine so kompliziert angelegte Fragestellung erscheint uns vielleicht überflüssig. Wenn wir den Ausdruck »Evangelium« hören, dann meinen wir doch alle klar zu wissen, was damit gemeint sei.[1] »Evangelium« ist doch die »gute Nachricht«. Die neue Verdeutschung des Neuen Testaments, die von allen deutschsprachigen Bibelwerken und Bibelgesellschaften getra-gen wird, trägt nicht nur diesen Titel, sondern gibt den Ausdruck auch an allen Stellen so wieder. Das scheint sich ja auch automatisch von den beiden Bestandteilen des griechi-schen Kompositums her als selbstverständlich nahezulegen. Doch ist bei der Annahme einer besonderen Betonung der Vorsilbe »gut« hier Vorsicht geboten, denn entstanden ist die Abstraktbildung des Neutrum nicht durch eine unmittelbare Zusammensetzung der beiden Bestandteile selbst. Dann wäre tatsächlich jedes Element in seinem semantischen Bedeutungs-gehalt gleich wichtig. Da aber dieses Substantiv ebenso wie das Verb erst eine nachträgliche Ableitung von dem schon bestehenden personalen Nomen des »Boten« her ist[2], so ist die vorgegebene Vorsilbe *(eu)* weniger betont als die neue Endung im Neutrum: »Evangelium« bezeichnete das, »was einem Boten zukommt«, als den Botenlohn (so an der ältesten bekannten Stelle Hom Od 14, 152f, 166f, so auch an der einzigen LXX-Stelle 2Regn 4,10[3] – und wie wenig dabei der semantische Gehalt der Vorsilbe betont ist, zeigt sich schon darin, daß man bei Plut Artaxerxes 14 über eine so bezeichnete Belohnung durchaus unzufrieden sein konnte[4]). Bezeichnet das Neutrum daneben auch die Botschaft oder vertritt sie als nomen actionis das Verb, dann erscheint der semantische Gehalt der Vorsilbe »abgeschliffen«, da es auch dort verwendet werden kann, wo es sich dem Inhalt nach nicht um unbedingt gute Botschaft handelt[5], was sich besonders daran zeigt, daß im Bedarfsfalle ein positives Objekt ausdrücklich zugesetzt wird (Röm 10,15 nach Jes 52,7 vgl. 3Regn 1,42). Damit ist nicht bestritten, daß die Konnotation des »Guten« hier auch gelegentlich wieder reaktiviert werden kann. Was festgehalten werden muß, ist nur die Abwehr der etymologistischen Täuschung, daß der pragmatische Aspekt des »Guten« automatisch bei jedem Wortgebrauch vorauszusetzen wäre. Priorität hat vielmehr nicht nur in prinzipieller, sondern hier auch in konkret-empirischer Hinsicht der semantische Gehalt der betreffenden Botschaft. Ob etwas auf der pragmatischen Ebene der Kommunikation (= Relation Sender/Empfänger zum Text) als gut oder schlecht erscheint, ist ja in jedem Falle vom semantischen Gehalt der Nachricht abhängig. Nach der unabänderlichen Hierarchie der semiotischen Ebenen ist das pragmatische (illokutionäre) Potential immer vom semantischen (lokutionären) Gehalt einer Aussage abhängig. Zugespitzt gesagt wäre eine bloß »Gute Nachricht« gar keine Nachricht.[6] Darum ist auch fraglich, ob selbst die Auskunft, »Evangelium« meine doch die christliche »Heilsbotschaft«, nicht schon zu pragmatisch gefaßt ist. Die Frage ist uns meist dadurch verschleiert, daß wir fest davon ausgehen, daß der semantische Gehalt für uns darin festgelegt ist, daß der Ausdruck »Evangelium« offenbar untrennbar mit den vier im Neuen Testament aufbewahrten Jesusbiographien verbunden ist. Ist das so selbstverständlich, wie es uns scheint? Ist selbst die pragmatische Wirkung auf den Leser so, daß sich hier eine »Gute Nachricht« als »Heilsbotschaft« von selbst ergibt? Vermitteln uns diese sogenannten »Evangelien« das »Evangelium«?

Neu ist diese Fragestellung nicht. Sie wurde allerdings immer wieder vergessen oder vergessen gemacht. Erinnern wir uns der Stellungnahme Luthers zu den Evangelien. Er bemängelte: »Die Evangelien hätten nicht gut vom Tod Jesu geredet, weil sie bloß Fakten erzählen; der Apostel Paulus und der Prophet

Jesaja aber hätten recht vom usus geredet.«[7] Als Lutheraner markierte Claus Harms (1778–1855) die Zwangslage, in die die Prediger regelmäßig durch die Perikopenordnung gebracht werden: »Bei den Evangelien wird das Evangelium nicht gepredigt. Wie sollte das Evangelium aus ihnen herausgepredigt werden? Es ist ja nicht darin.«[8]

1.2 Die nachapostolischen Evangelien vor dem Wahrheitsbewußtsein der Antike

Notieren wir zu unserer Frage noch eine sehr alte Leseerfahrung, die uns in gewisser Weise sehr modern anmutet. Kaiser Julianus (331–363)[9], der Neffe Kostantins des Großen, der in seiner Jugend Zögling mehrerer Bischöfe gewesen war und den die Kirche wegen seiner Trennung von ihr mit dem Beinamen Apostata belegt hat, beginnt seine drei Bücher »Gegen die Galiläer« (= Christen; *Katà-Galilaíōn Lógoi*), die ein Jahr vor seinem Tode erschienen, mit den Worten: »Schön erscheint es mir, allen Menschen die Gründe auseinanderzusetzen, die mich davon überzeugt haben, daß die eifrige Lehre der Galiläer ein Gebilde von Menschen ist, aus Lust am Betrug hergestellt. Sie hat nichts Göttliches in sich; vielmehr mißbraucht sie den mythenliebenden, kindischen, vernunftlosen Teil unserer Seele und will der Rede von Wundern die Zuverlässigkeit der Wahrheit verschaffen.« Es folgt darauf der Vorwurf, von den besten Einsichten nicht nur des Griechentums, sondern auch des Alten Testamentes und des Judentums abgefallen zu sein.[10] Damit ist ein ernstes Problem aufgeworfen, daß also durchaus nicht erst neuzeitlich ist. Die Frage nach dem, was in den Evangelien historisch oder nicht historisch glaubwürdig sei, die Frage nach der Zuverlässigkeit also, wird durchaus nicht erst seit der Aufklärung gestellt. Ein langes Schweigen in der Artikulation solcher Fragen ist weniger eine Frage von Zeit und Entwicklung des Bewußtseins gewesen, sondern mehr eine nackte Existenzfrage in der Zeit einer absolutistischen Staatsreligion und ihrer für Abweichler lebensbedrohenden Institutionen.

Dies ist nicht einmal eine zur Zeit Julians neue und erst durch seine antikirchliche Entwicklung bedingte Fragestellung. Schon fünfhundert Jahre vor ihm geht der hellenistische Historiker Agatharchides von Knidos (gestorben 132/131 v. Chr.)[11] auf die griechischen Mythen ein und erklärt sie für unwahr: »Wer solche Wundergeschichten erzählt, ist ferne von der Wahrheit und man wir ihn nicht vertrauenswürdig finden, diese anderen beizubringen.« Deutlich nach Funktionen differenzierend gesteht er den Dichtern durchaus zu, davon zu reden, was er indessen bei den Geschichtsschreibern nicht durchgehen läßt, da »jeder Dichter mehr auf die Beeinflussung des Gemütes als auf die Wahrheit ausgeht.«[12] Damit ist ein deutlicher Hinweis auf das vorhandene Bewußtsein für unterschiedliche Literaturformen gegeben. Es ist kennzeichnend, daß man weiß und betont, daß auch geographische und kulturelle Beschreibungen einer entsprechenden Zuverlässigkeit bedürftig sind. Das wird ebenso bei seinem Zeit- und Zunftgenossen Polybios (201–120 v. Chr.) durchreflektiert, der ganz analog dazu einer auf Erfahrung und Beobachtung gegründeten Medizin vor einer metaphysisch geprägten den Vorzug einräumen will und dementsprechend auch einer dilettantischen Geschichtsschreibung, die von spekulativen Betrachtungen und subjektiven Tendenzen geleitet ist, das sachverständige Erkunden der Tatsachen gegenüberstellte (Polybios XII 25 d), weshalb er es ablehnte, »Götter oder Göttersöhne in die pragmatische Geschichte einzuführen« (III 47,8 ff; XXXVII 9,3 ff).[13]

Dieselben Prinzipien finden wir wiederum dreihundert Jahre später ebenso in dem einzig vollständig erhaltenen antiken Werk über die Geschichtsschreibung aus der Feder des Lukian (ca. 120–180 n. Chr.). Seine im Jahre 166 (oder danach) in Briefform gegebene Darstellung »Wie man die Geschichte schreiben müsse«[14] war vom 16. bis zum 19. Jahrhundert in ganz Europa von maßgebendem Einfluß für die Herausbildung des Ideals einer unparteiischen Geschichtsschreibung. Ihre spezifische »Vollkommenheit« soll die »Offenbarung der Wahrheit« sein. Ihr Maßstab ist die Strenge der gegnerischen Leser, also solche, »die mit der Strenge eines unbestechlichen Richters, ja selbst mit der sykophantischen Neigung, auf Fehler zu lauern, kommen, Leuten, deren scharfem Blick nichts entgeht und die, wie Argus, am ganzen Leibe lauter Auge sind ; kurz von Leuten, die nach Art der Geldwechsler alles, Stück um Stück, genau besehen, das Unechte ohne Umstände auf die Seite werfen und nur was von gutem Schrot und Korn und scharfem Gepräge ist, behalten.«[15] Man braucht dies als Christ nur zu lesen und wird sogleich an die Maßstäbe für das Reden in der christlichen Gemeindeversammlung nach 1Kor 14,16–19.23–25 erinnert: Kriterium ist der Nichtchrist.[16] Analog dazu ist auch nach 1Thess 5,21 (»Prüft alles und behaltet nur das Gute«) und zwar nach V.20 in direktem Bezug zu kirchlichem Reden die Grundtugend nicht die gläubige Annahme, sondern das kritische Sichten, das »Prüfen der Geister«.

1.3 Der Charakter der nachapostolischen Evangelien unter literaturkritischem Gesichtspunkt

Eine der erstaunlichsten Beobachtungen ist nun folgender Widerspruch: So nahe man sich in der Mentalität der ältesten apostolischen Zeugnisse hier kommt, so nahe ist umgekehrt das Bild, das die nachapostolischen Jesusbiographien im Neuen Testament bieten, dem, was das Wahrheitsbewußtsein der antiken Geschichtsschreiber abweist. Muß dann diese Diskrepanz nicht nur zwischen den nachapostolischen Jesusbiographien und den nichtchristlichen Empirikern bestehen, sondern auch zwischen dem Wahrheitsanspruch der apostolischen Zeugnisse und der nachapostolischen Literatur? Das Jesusbild der sogenannten »Evangelien« zeichnet ja das Bild seines Helden immer in Korrelation zu seinen Antagonisten. Das jeweilige Gegnerbild jedes dieser Jesusbiographien[17] ist darum höchst aufschlußreich auch für das betreffende Jesusbild. Lukian fährt an der zuletzt zitierten Stelle fort:

»Wolltest Du, jenen strengen Kunstrichtern zum Trotz, deine Geschichte gleichwohl mit Märchen, schmeichlerischen Wendungen, Lobreden auf deine Helden und anderem solchen schmarotzerischen Schmuck herausputzen und recht angenehm in die Augen fallen machen: was hättest du anderes aus ihr gemacht als einen Herkules am Hofe des Omphale, wie du ihn vermutlich irgendwo gemalt gesehen haben wirst? *Sie* mit einer Löwenhaut um die Schulter und mit seiner Keule in der Hand, als ob sie Herkules wäre; *ihn* hingegen, wie er in seinem gelb und rotem Weibergewand, das in weiten Falten um seine nervichten Glieder schwimmt, unter ihren Mägden am Spinnrocken sitzend, von ihr mit dem Pantoffel um die Ohren geschlagen wird.«

Aretalogien dienen gern dieser Tendenz: »In der Meinung, durch einige Großtaten, die er, um die Sache desto wunderbarer zu machen, hinzugelogen hatte, sich bei Alexander mächtig in Gnaden zu setzen«[18] (also selbst bei Lebzeiten des Beschriebenen ist dies so möglich!). Der Antagonismus der Erzählfiguren kann sogar als Programm angegeben werden: »Endlich versprach er am Schluß seiner Vorrede mit dürren Worten, daß er sein Bestes tun wolle, unsere Vorzüge herauszustreichen, den Barbaren hingegen auch von seiner Seite, soviel in seinen Kräften stehe, den Garaus zu machen.«[19] Man kann nicht mit zweierlei Maß messen und die Tendenzen zur Trivialliteratur hin im außerchristlichen Bereich analysieren und benennen, die eigene, christliche Literatur aber parteiisch ausnehmen.

Stößt ein Exeget auf trivialliterarische Züge in den Jesusbiographien, so ist er geneigt, dies als Hinweis auf die »Bedeutung« Jesu positiv zu bewerten. Als apologetischer Ausweg bietet sich ihm die Auskunft an, daß Jesus hier schon in seiner »nachösterlichen Hoheit« gezeichnet werde.[20] Dieser vermeintliche Ausweg ist aber schon insofern eine Sackgasse, als der betreffende Autor meist ein eigenes und anderes Bild von Ostern hat. Es ist zudem nicht die nachösterliche Hoheit, sondern eine durchaus historisch-biographische Steigerung, die immer in Korrelation zu den erzählten Antipoden der Darstellung steht. Der literarische Jesus der Redaktoren hat nicht eine nachösterliche, sondern eine antijüdische und antihistorische Hoheit – auf Kosten der jeweiligen Gegner: Sie sind keine ernstzunehmenden Gegenspieler mehr, sondern von Anfang an Heuchler, Verstockte, Uneinsichtige. Das Gegnerbild jedes einzelnen Evangelisten ist für die Beurteilung ihrer jeweiligen Christologie ebenso wichtig wie ihre Christustitel – ja offenbar noch wichtiger, weil sich aus der Korrelation zu ihnen auch erst der semantische Gehalt ihrer Christustitel bis zu einem gewissen Grade ergibt.[21] Die Evangelien synoptisch lesen, heißt, kritisches Bewußtsein herausbilden und urteilen lernen. Wie sollte der auferweckte, gegenwärtige Jesus an Darstellungen seiner Person Gefallen haben, die auch sonstiger Trivialliteratur entsprechen, die »ihre Farben so dick als möglich auftragen und loben – ohne alle Rücksicht auf Wahrscheinlichkeit oder Wohlstand – so plump und derb, daß sie nicht einmal die Absicht erreichen, woran ihnen so viel gelegen ist, sondern dem großen Herrn selbst, dem sie sich dadurch empfehlen wollten, als grobe Schmeichler verächtlich werden.«[22]

Von daher fällt noch einmal neues Licht auf allgemein bekannte Tatbestände: Würden wir Paulus nur aus dem lukanischen Doppelwerk kennen[23], dann hätten wir ein Zerrbild von ihm. Wir sind in der Lage, das Paulusbild der Apostelgeschichte mit dem zu vergleichen, das sich aus den paulinischen Briefen selbst ergibt.[24] Von daher sind wir auch in der Lage, das lukanische Jesusbild entsprechend zu beurteilen, zumal Lukas noch zusätzlich sein Paulusbild seinem Jesusbild angeglichen hat und umgekehrt.[25] Aus Lukas ein authentisches Jesusbild zu gewinnen, ist so schwierig wie aus den trito- (oder noch genauer quarto-)paulinischen Pastoralbriefen, deren Paulusbild im übrigen dem der Apostelgeschichte sehr nahe steht[26], ein authentisches Paulusbild zu eruieren. Doch dasselbe gilt schon für die beiden vorausliegende Traditionsstufe: Ein nur aus dem deuteropaulinischen Kolosserbrief erhobenes Paulusbild[27] ist wegen der Nuancenverschiebungen der Oberflächenstruktur des Textes, der aber sehr viel weitergehende Differenzen in der semantischen Tiefenstruktur entsprechen, ebensowenig authentisch wie ein aus dem Markusevangelium erhobenes Jesusbild.[28] Hat sich also etwa Kaiser Julian, als er sich von der Kirche trennte, gar nicht von dem wirklichen Evangelium getrennt, sondern nur von einem Kirchentum, dessen Kanon zu 60% von dieser Art Jesusbiographien bestimmt war und dessen nur 17% wirklich apostolischen Stoffes der echten Stücke der wirklichen Paulusbriefe nur durch eine nachapostolisch gefärbte Brille gelesen wurden?[29]

1.4 Die nachapostolischen Evangelien als typisch antike Biographien

Dies nötigt uns zu einer weiterführenden Klarstellung: Die Frage »Was ist ein Evangelium?« ist grundverschieden von der Frage »Was ist das Evangelium?«. Die erste Frage will wissen, wie die literarische Gattung der Jesus-Bücher des Neuen Testaments zu bestimmen ist. Diese Frage ist heute darum so brisant, weil sie die letzten fünfzig Jahre als abschließend beantwortet erschien: »Das Genus der Evangelien ist eine original christliche Schöpfung (K. L. Schmidt, Bultmann). Ihre Einzigartigkeit beruht auf der Einmaligkeit des christlichen Kerygmas.«[30] Dieses formgeschichtliche Axiom von Dibelius, Bultmann und Schniewind[31] – das im übrigen von K. L. Schmidt nicht in dieser Form vertreten wurde[32] – kann heute nicht mehr als dem Stand der Forschung entsprechend angesehen werden. (a) Die redaktionsanalytische Arbeit der letzten Jahrzehnte hat einerseits zunehmend präzisere Aussagen über Gestalt und Komposition der einzelnen Evangelienschriftsteller erbracht und andererseits hat (b) die beschreibende Klassifikation der antiken Biographien[33] weiterführende Differenzierungen ermöglicht. In der zusammenfassenden Weiterführung der vor allem in Nordamerika geführten Problemdiskussion hat C. H. Talbert 1978 bewußt die drei von Bultmann aufgestellten Kriterien für die Besonderheit der Evangelien (mythisch bestimmte Struktur, kultisch bestimmte Funktion, »eschatologisch« = existenzial bestimmte Haltung) zum Maßstab genommen, um darzustellen, daß alles, was für die besondere Einmaligkeit der Evangelien sprechen soll, genauso für die antiken Biographien gilt. Die Struktur der griechisch-römischen Biographien ist durchweg ebenso wie die Synoptiker vom Mythos der »Unsterblichen« bestimmt.[34] Nun kann nicht mehr argumentiert werden, die »Evangelien« seien, eben weil »mythisch« strukturiert, gerade keine »Biographien«; sie sind also auch in ihrer mythischen Strukturierung vielmehr gerade typisch antike Biographien.[35] Ihre Osterlegenden am Schluß jedes Buches müssen darum auch zuerst und vor allem nach ihrem Stellenwert im Rahmen ihrer jeweiligen Funktion der betreffenden Biographie analysiert werden und können nicht als Ostertexte im strengen Sinn gelten. Ist somit die Frage, was ein Evangelium sei, heute stringent beantwortbar, so fragt »Was ist das Evangelium?« nach dem semantischen Bedeutungskomponenten dieses Ausdrucks in jedem Falle seiner spezifischen Verwendung. Diese Konzeptionen sind sehr verschieden. Dennoch werden nicht nur sie, sondern auch die beiden eben differenzierten Fragen erfahrungsgemäß notorisch seit langen Zeiten vermengt.

1.5 »Evangelium« bei Origenes: Der kirchliche status quo

Mit den beiden ältesten nachapostolischen Schriften, dem sich deuteropaulinisch gebenden Kolosserbrief und dem sich deuteropetrinisch gebenden Markus begann eine semantische Umprägung des Terminus »Evangelium« durch das »Revelationsschema«[36], die weittragende Folgen hatte, weil sie sich bald mit tiefergehenden platonischen Denkschemata verband. Anschaulich wird das dort, wo die neutestamentliche Kanonbildung ihren prinzipiellen Abschluß gefunden hat, also bei Origenes (+254).[37] »Evangelium ist für ihn die gesamte Offenbarung, wie sie in Schrift und Tradition vorliegt.«[38] Das Evangelium ist zunächst und primär eine Größe der himmlischen Welt[39], das auf der Erde nur gebrochen und mehrgestaltig differenziert in Erscheinung tritt. Sofern hier also »Evangelium« als Oberbegriff (Archilexem, Suprenym) für die Hyponyme (Unterbegriffe) »Schrift« und »kirchliche Tradition« fungiert, erklärt sich aus diesem speziellen Wortfeld auch sein Gebrauch der pneumatisch-allegorischen Methode in der Auslegung als dem höchsten Prinzip, da bei dem vorausgesetzten mehrfachen Schriftsinn der allegorische den nur »somatischen« (=historisch-grammatischen) und den »psychischen« (=moralischen) Schriftsinn weit überragt. Von diesem Zeitpunkt an war in der Geschichte der Kirche »Evangelium« immer letztlich die jeweilige kirchliche Tradition, so wie sie sich der jeweiligen kirchlichen Gegenwart oder Gruppe faktisch darstellte.[40] Nur von einem solchen platonischen Schema her erklärt sich auch heute noch die Fragerichtung gewisser kirchlicher Bibelarbeiten, wo in einer Perikope »das Evangelium« stecke. Das ist ein Evangeliumsbegriff dieser speziellen semantischen Füllung: Wo steckt das himmlische Etwas in dem konkret vorliegenden Text. Wird der sogenannte schlichte Bibelleser angeleitet, so zu fragen, dann soll er letztlich – ideologiekritisch geurteilt – die ihm durch seine bisherige kirchliche Sozialisation internalisierten Stereotypa der eigenen Konfessionstradition an einem Text entdecken und so internalisierend weiter befestigen. Darum wundert es nicht, wenn das Ergebnis einer solchen Bibellesepraxis nur traditionalistisch sein kann. Für wieviel Material zur Bibel muß dasselbe gelten wie für Origenes: »Ihre Worte sind stets der Ausgangspunkt, aber kaum jemals die wahre Quelle seiner scheinbar exegetischen Erkenntnisse!«[41]

1.6 Die tendenziöse Übersetzung der Evangelientitel heute als Symptom

Ist dieser spezielle nachkanonische Evangeliumsbegriff, wie wir ihn bei Origenes fanden und wie er bis heute bestimmend blieb, erst einmal etabliert, dann wundert man sich kaum über die Tendenz, ihn von da aus möglichst auch zurückzudatieren, um ihm universale Geltung zu verschaffen und auch für die apostolischen Anfänge maßgebend sein zu lassen: Es ist in allen Jesusbiographien das eine Evangelium anwesend, denn es heißt ja schon in den Überschriften, daß es zwar das »Evangelium«, aber »nach« Matthäus, Markus, Lukas oder Johannes sei. Daß dieses *katá* mit Akkusativ in den Buchüberschriften, wie es zuerst um 200 im p[66] *(euaggélion katà Iōánnēn)* auftaucht, betont nur »nach« (im Sinne des lat. *secundum*) meine und im Gegensatz zum bloßen Genitiv (»des«) stehe und so ein wesentliches Kennzeichen für ein einziges aber vierfältiges Evangelium sei, ist Harnack oft nachgesprochen worden[42] und wird auch heute noch in den maßgebenden Literaturgeschichten zum Neuen Testament wiederholt.[43] Doch eine solche theologisch-wertende Interpretation dieses Syntagmas scheitert schon daran, daß man sie nicht nur für die großkirchlichen, sondern auch für die als häretisch verworfenen Evangelien verwendete *(tò katà Pétron, Thōmân* oder *Basileídēn euaggélion).* Und wenn man schließlich sieht, daß man nicht nur die mutmaßlichen Verfasser, sondern auch den Benutzerkreis mit dieser Präposition kennzeichnete *(tó kat' Aigyptíoys* oder *Hebraíoys euaggélion)*[44], so ist völlig deutlich, daß es sich um ein Synonym für den bloßen possessiven Genitiv handelt, was grammatisch ohnehin bekannt ist – ist doch »die *katá*-Konstruktion in den Überschriften an und für sich ›gut griechischer Ersatz für den Genitiv‹[45] und darf daher nicht anders als im Sinne einer gewöhnlichen Verfasserangabe verstanden werden.«[46] Doch ist die Zählebigkeit des dem entgegenstehenden Mißverständnisses wiederum nur so erklärlich, daß hier wiederum »Erkenntnis« und »Interesse« in ein problematisches Verhältnis getreten sind, so daß Vorurteile und vorherrschende Interessen ein genaues Beobachten verhindern. Das überstarke erkenntnishindernde Interesse am dogmatischen Festhalten am altkirchlichen Kanon gewinnt selbst bei Forschern die Führung über das Erkenntnisinteresse der Wahrheitsfrage und macht so partiell blind.[47]

2. Der urapostolische Begriff »Evangelium« als Basisformel

Aber nun ist weiter zu fragen, ob es überhaupt schon selbstverständlich ist, daß man die Jesusbiographien »Evangelien« nennt. Dies ist alles andere als selbstverständlich, denn wenn wir von diesen nachapostolischen Schriften zu den apostolischen Anfängen zurückgehen, so ergibt sich ein anderes Bild. Wir bekommen aus den Paulusbriefen nicht etwa einen singulär paulinischen Evangeliumsbegriff zu Gesicht, sondern den, der für alle Christen des apostolischen Anfangs galt, wie sich aus den Aussagen des Paulus selbst und der traditionsgeschichtlichen Analyse der paulinischen Texte ergibt[48]: »Evangelium« bezeichnet die christliche Basisformel »Gott erweckte Jesus von den Toten.« Sie wird darum bei den von Paulus bisher völlig unabhängigen Christen in Rom ebenso als grundsätzlich vorausgesetzt (Röm 1,3 f; 10,9 als vorgegeben – und von daher auch bei den bloßen Anspielungen des Wortlauts 4,24; 6,4.9; 7,4; 8,11.34; 14,9 als überliefert erinnert) wie in den von Paulus gegründeten Gemeinden (Gal 1,1; Phil 2,9 f; 1Thess 1,10; 4,14; 1Kor 6,14; 15,1 ff; 2Kor 4,14; 5,15).

2.1 Die Selbständigkeit der Auferweckungsformel gegenüber der Sterbensformel

Wenn wir unser Augenmerk auf 1Kor 15 richten, dann vor allem wegen der im Kontext damit verbundenen Argumentationen. Außerdem ist zu beachten, daß man aus der Tatsache, daß 1Kor 15,3–5 eine um die »Sterbensformel« (Gal 2,21; 1Thess 5,10; 1Kor 1,13; 8,11; 2Kor 5,14 f; Röm 5,6.8; 14,15)[49] erweiterte Auferweckungsformel verwendet, keine kurzschlüssigen Folgerungen für das urchristliche »Evangeliums«-Verständnis ziehen darf – etwa in dem Sinne, daß doch beides gleichwertig dazu gehöre, denn

a) findet sich die Kombination mit der Sterbensformel bei Paulus nur an dieser einzigen Stelle[50]; (vgl. auch die viermalige Rezitationspartikel);

b) beide unterscheiden sich strukturell, sofern in der vierteiligen Auferweckungsformel (Gott Subjekt, Auferweckung als Handlungsverb im Aorist, Jesus Objekt, »von den Toten« als adverbiale Näherbestimmung durch Präpositionalwendung mit partitiv-lokalem Genitiv) die Auferweckung als Gottes Handeln und nicht als Tat Jesu erscheint. Darum sollte man auch strikt von der Auferweckung Jesu reden und nicht etwa von seiner »Auferstehung«.[51]

c) Beide Formeln unterscheiden sich funktional, sofern die dreiteilige Sterbensformel (hier Christus als Subjekt[52], Sterben als Zustandsverb im Aorist[53], »zu unseren Gunsten« als adverbiale Präpositionalwendung im bekennenden Wir-Stil) über die bloße Aussage von Fakten hinaus eine soteriologische Folgeaussage macht, während im anderen Falle »die Auferweckung an sich, nicht ihre Deutung, ihr Heilssinn, in der Formel steht.«[54] So kennzeichnend für die primäre Informationsfunktion der Auferweckungsformel ist, daß sie den bloßen Namen »Jesus« als Objekt nennt, so kennzeichnend ist es für die »Sterbensformel«, daß sie mit der titularen Bezeichnung »Christus« als Subjekt deutlich macht, daß sie schon eine »eschatologische Stellung«[55] voraussetzt und diese kennzeichnet. Welche das ist, zeigt das explikative *hóti* 1Kor 15,12 im Anschluß an die Formel V.3–5 mit dem Perfekt der Dauer: »Christus« bezeichnet den Auferweckten. Das aber bedeutet, daß die vorpaulinische Sterbensformel schon von der Auferweckung her gedacht und entworfen – also ihr gegenüber sekundär ist. Dazu stimmt auch das bekennende »Wir«, das eine schon bekennende Gemeinschaft voraussetzt und auch darum eher zu den erst auf die Auferweckungsformel antwortenden Bekenntnisformeln gehört; dazu stimmt auch, daß in ihr »Gott nicht genannt wird«.[56] Sekundär ist die »Sterbensformel« auch darin, daß an sie die lokal-partitive Näherbestimmung der Auferweckungsformel *(ek nekrōn)* anknüpft, und darum eben schlicht vom »Sterben« redet und eben nicht vom »Kreuz« – so geläufig uns das auch zu sein scheint.[57]

Der unterschiedliche Entstehungs- und Prägeort beider Formeln »macht verständlich, daß sie nicht parallel gebildet sind: die zweite Zeile hält (bei ihrer Kombination) ja die Tatsächlichkeit der Auferweckung fest, während die erste Zeile den Heilssinn des Sterbens herausstellt... Denn während die Auferweckung die eschatologische Stellung Jesu konstituiert..., so ist *hypèr hēmôn* die Interpretation des Sterbens Jesu als das Sterben eben dieser eschatologischen Person.«[58] Die Sterbensformel expliziert den Heilssinn der Auferweckung. Die Funktion des semantisch-referentialen Protokollsatzes der Auferweckungsformel ist informativ, während die Funktion der darauf aufbauenden Sterbensformel pragmatisch-performativ die Folgerung daraus zieht.

d) Diese Differenz spiegelt sich auch in der Tatsache, daß für Paulus »Evangelium« darum den »Inhalt der Pistisformel« meint[59], weil er entweder mit der einfachen oder erweiterten Auferweckungsformel verbunden erscheint, niemals jedoch mit der bloßen Sterbensformel. Evangelium meint das, was dem »Wir« der Sterbensformel vorausgeht und dieses »Wir« als Gemeinde überhaupt erst konstituiert. Dies bedeutet weiterhin, daß die Auferweckungsformel als Basisformel der Missionsverkündigung nicht als »Bekenntnisformel« klassifiziert werden darf, und daß sie durch ihren Nachrichtcharakter bestimmt ist und nicht etwa als »Heilsangebot« oder als Sinngebungsangebot. Das apostolische Evangelium basiert nicht auf dem Menschen und seiner Not und ist darum nicht primär »Antwort«.[60]

e) Das wird bestätigt durch die Korrespondenz, in der vorpaulinisch-urapostolisch der Terminus »Apostel« (22mal im spezifischen Sinne; Verb 1Kor 1,17; Röm 10,15) zu »Evangelium« steht. Auch zu seinem semantischen Gehalt gehört es, Osterzeuge zu sein (1Kor 9,1; 15,7–10).[61] Die Apostel sind auf jeden Fall Osterzeugen, aber nicht konstitutiv Zeugen des Sterbens Jesu.

f) Der primäre Osterbezug des apostolischen »Evangeliums« wird ebenso durch den Korrespondenzbezug zur apostolischen Verwendung von »Glauben« deutlich. Wie in der Logik des apostolischen Wortfeldes (1Kor 15,7–10.14; Röm

10,14) »Apostel« dem »Evangelium« vorgeordnet ist, so der »Beitritt« (aoristisches *pisteusai*) diesem nachgeordnet. Dabei wundert es nicht, daß sich hier die schon gemachte Beobachtung bestätigend wiederholt: *Pistis* ist entweder mit der einfachen oder der erweiterten Auferweckungsformel verbunden, jedoch »kommt das Stichwort« im Zusammenhang mit der bloßen Sterbensformel »nicht vor«.[62] Dies wäre längst sehr viel deutlicher in unserem Bewußtsein, wenn wir nicht ständig die semantischen Gehalte unseres nach-lateinischen Glaubensbegriffs in den paulinischen Glaubensbegriff hineinlesen würden. Davor hat schon W. Wrede gewarnt:

»Alle psychologischen Bestimmungen über den Glauben (z. B. Akt des Willens oder des Gehorsams, Empfänglichkeit, Verhältnis zur Hoffnung, Fürwahrhalten u. s. f.) dürfen kurzweg als unerheblich bezeichnet werden. Auch daß das Vertrauen das Wesen der paulinischen *pístis* bilde, ist unrichtig... Die Meinung ist nur ein Reflex der reformatorischen Glaubensauffassung. Für Luthers fides ist es freilich wesentlich, daß sie fiducia ist und zwar fiducia specialissima, persönliche Heilsgewißheit. Denn Luther hat es in seiner Rechtfertigungslehre mit dem Menschen in der Kirche zu tun, dem es darauf ankommt, daß das, was er im allgemeinen glaubt, für ihn selber Geltung habe. Bei Paulus kommt es vielmehr auf das Glauben und Gläubigwerden im Gegensatz zur nichtglaubenden Welt an, also auf die Bejahung des bestimmten Glaubensinhalts.«[63]

Dies ist im Hinblick auf den beim Verb vorherrschenden aoristischen Gebrauch, der auch beim Nomen vorauszusetzen ist, wo es als Nomen actionis erscheint, wie beim Partizip und dem verallgemeinernden logischen Präsens, noch zu präzisieren: Für Paulus (und damit für alle ersten Christen) war nicht das ganze Christentum »Glaube«, sondern nur ihr Beitritt dazu, also nur der erste Schritt[64] und auch dabei hat das Wort andere semantische Gehalte als in unserem heutigen Gebrauch, so daß man es lieber meidet. Aus dem gleichen Grunde ist auch die Bezeichnung »Osterglaube« nicht bezeichnungsadäquat und für das Gesamtproblem eher irreführend als problemlösend.

g) Gegen die irrtümliche Annahme, daß die Sterbensformel erst die Auferweckungsformel zu einer oder der »vollen« Pistisformel erweitere, steht vielmehr auch die Tatsache, daß die Erweiterung um die soteriologische Sterbensformel nur eine mögliche unter anderen ist: Statt der soteriologischen Implikate können etwa auch die christologischen expliziert werden. So tritt in der erweiterten Evangeliumsformel Röm 1,3–4 (vgl. Phil 2,9–11 im Verhältnis zu V. 6–8) statt der Sterbensformel nicht nur der Tod, sondern die historische Existenz Jesu als solche vor die Auferweckungsaussage. Während die ursprüngliche Auferweckungsformel »das nackte ›Daß‹ der Auferweckung festhält«, »explizieren« Röm 1,4; Phil 2,9–11 (vgl. Apg 2,36; 13,33) »deren Bedeutung für die Person des Heilsträgers: Er wird zum Christus, zum Kyrios, zum Gottessohn gemacht bzw. eingesetzt und erhält so eine neue Würde und Funktion«[65] (vgl. auch Röm 14,9).

Aus alledem wird deutlich, daß der urapostolische Evangeliumsbegriff, den wir bei Paulus erkennen können, in seinem semantischen Gehalt immer und nur durch die Osternachricht bestimmt ist. Paulus hat sie selbst schon vorformuliert überliefert bekommen (1Kor 15,3a). Sie gilt allgemein und generell für alle Osterzeugen von Petrus über Jakobus bis Paulus, so daß er 1Kor 15,11 nochmals zusammenfassend unterstreicht: »Ob ich es also bin oder jene anderen: Dies also richten wir aus, und dem also seid ihr beigetreten (Aorist).«

2.2 Die älteste logische Syntax des apostolischen Evangeliums: Paulus

1Kor 15,1–3a beschreibt Paulus die grundlegende logische Struktur des durch dieses Evangelium konstituierten, eigenständigen Gegenstandsbereichs, deren Wichtigkeit er durch eine chiastische Darstellung unterstreicht[66]:

Dieses Evangelium wurde

A durch uns bei euch ausgerichtet (Aorist)

  B ihr habt es angenommen (Aorist)

    C jetzt »steht ihr darin (Präsens)

      D durch es werdet ihr Anteil an der Vollendung haben (Futur)

    C′ da ihr es jetzt festhaltet (Präsens)

  B′ da ihr ja nicht nichts beigetreten seid (Aorist)

A′ da ich es euch ja als konstitutiv übergeben habe (Aorist).

Die Synonymie der entsprechenden Glieder der Ringkomposition ist ebenso deutlich wie die logische Folge vom nachösterlichen apostolischen Anfang bis zur eschatologischen Vollendung. Dabei wird klargestellt, daß »Evangelium ausrichten« (A) in der Übergabe einer konstitutiven Nachricht besteht, daß pisteusai (Aorist B' als »Beitritt« – nicht einmal im Sinne von »gläubig werden«) im Akt der Annahme dieser Nachricht (B) besteht, das Verb mithin hier nicht das ganze Christsein beschreibt, sondern nur dessen Anfang, also präzis die Beschreibung eines vollzogenen Übergangs ist. Die Gegenwart der Christen hat ihre davon zu unterscheidende eigene Gestalt und Kennzeichnung. Diese ist nicht »Glauben«, sondern einen festen Standort haben (B) und diesen also festhalten (B'). Aus dem besonderen semantischen Gehalt dieser dem ganzen System zugrundeliegenden Osternachricht ergibt sich (D) ihr spezifischer Zukunftsaspekt: Ist an einer Stelle die Letztwirklichkeit des Todes vorläufig geworden, dann ist seine Absolutheit überhaupt infrage gestellt und so Zukunft und Hoffnung als notwendige Explikation gesetzt.

Es ist sachgemäß, dieses Strukturgefüge als logische Syntax des Evangeliums zu kennzeichnen. Logische Syntax ist – nach der knappen Bestimmung von G. Klaus – »ein universelles Hilfsmittel der Analyse beliebiger gedanklicher Strukturen«[67]. Es beschreibt das formale System einer Sprache – oder aber auch nur eines Wortfeldes (Gegenstandsbereichs) und gibt Anweisungen zur Bildung des Kalküls. Als System der möglichen formalen Operationen über den Ausdrücken einer Sprache (bzw. eines Wortfeldes)[68] setzt sie Grunddefinitionen der Axiome – wie »Evangelium« in unserem Falle – voraus, gibt Formations- und Bildungsregeln zur Erzeugung möglicher oder erlaubter Sätze an und formuliert die Transformations- oder Schlußregeln zur Bildung weiterer Sätze. Da damit die allgemeinsten Regeln jeder Theoriebildung überhaupt beschrieben sind, ist keine Einzelwissenschaft ohne solche Theoriebildung mittels logischer Syntax möglich.[69] Neben 1Kor 15 zeigen alle Auseinandersetzungen des Paulus – sei es im Galaterbrief oder 2Kor 10–13 – das Interesse an der Zuverlässigkeit und das Mühen um erlaubte und unerlaubte, mögliche und unmögliche Folgerungssätze unter dem Evangelium. Er müht sich um strenge Ableitung aus einsichtigen Axiomen und verlangt, daß er auch selbst daran kontrolliert wird (1Kor 4,1f; 7,25.40; 11,1.13; 14,34; Gal 1,8).

Wie sehr die Strenge der 1Kor 15,1–3 zwar nicht vollständig beschriebenen aber grundsätzlich angelegten logischen Syntax des apostolischen Evangeliums theo-logisch gedacht wird, zeigt die Fortsetzung 1Kor 15,14–18: Bei dem apostolischen Evangelium handelt es sich um ein Grundaxiom als klar definiertem Begriff: Gott hat Jesus von den Toten auferweckt. Dem in diesem Satz ausgesprochenen Sachgehalt muß ein außersprachlicher Sachverhalt entsprechen.[70] Dies ist schon eine der textpragmatischen Funktionen der Liste der Osterzeugen 1Kor 15,5–8.[71] Dies erreicht seine Spitze in 1Kor 15,15: Wir wären tatsächlich Lügenzeugen für Gott, da wir gegen Gott die Zeugenaussage gemacht haben »Er hat Christus auferweckt«, wenn er ihn gar nicht auferweckt hat. In einer Kette, die in jedem Lehrbuch der Logik als Muster eines Syllogismus stehen könnte, setzt darum 1Kor 15,14 an: Wenn der von uns im Evangelium ausgesagten Sachlage wirklich kein realer Sachverhalt zugrunde liegt, dann hat das seine klaren Folgerungen: Dann ist (a) als erste Folge unsere Evangeliumsaussage ohne referenzsemantischen Gehalt. Daraus ergibt sich als zweite Folge (b), daß euer Beitritt (*pistis* als nomen actionis im Sinne des vorherigen Aorists V.2 und V.11 *pisteusai*) natürlich eine pragmatische Folge, die gegenstandslos ist. (Man beachte, daß auch hier »Glaube« als »Beitritt« nicht direkt auf das Osterereignis bezogen ist, sondern erst auf das Verhalten der Hörer zu der Nachricht – also erst in dritter Relation: Die Osterzeugen selbst haben nicht »geglaubt«, sondern gewußt, daß Jesus auferweckt ist – so wie man andere Sachverhalte auch wissen kann. Darum ist es unsachlich von einem »Osterglauben« zu sprechen.)[72] In der Fortsetzung 1Kor 15,17 gilt dann (c) ebenso für die soteriologische Konsequenz: Sie ist gegenstandslos; »Sündenvergebung« wäre bloße Einbildung. Man kann sich in der Tat auf diesem Felde viel suggerieren oder suggerieren lassen. Für die apostolische Osterlogik geht es hier nicht psychologisch um eine Erfahrungstatsache, sondern logisch um eine an der logischen Syntax des Evangeliums hängende objektive Befreiung. Schließlich sagt (d) in Anwendung auf die logische Zukunftskonsequenz, daß auch die Eschatologie ebenso wie die Soteriologie bloße Ideologie ist.

Paulus versteht seine Briefe selbst nicht als »Evangelium«. Was er theologisch entwickelt, will logische Syntax des Evangeliums sein. Es geht um die logisch kontrollierbaren Kontrollsätze, die aus dem vorgegebenen Evangelium ableitbar sind. Das Evangelium selbst ist ein auf Beobachtung beruhender Protokollsatz.[73] Diesen Charakter betont nicht nur die Zeugenliste von 1Kor 15,5–8 und das Zeugenprinzip von 1Kor 15,15, sondern schon die Struktur der erweiterten Evangeliumsformel in 1Kor 15,3–5 selbst, sofern in dem viergliedrigen Parallelismus das objektive In-Erscheinung-Treten (ōfthē) dort in der gleichen Bestätigungsfunktion auf das »Auferwecktsein« folgt wie das »Begraben« auf das »Gestorbensein«.

2.3 Jesu Auferweckung als ontologische Setzung neuer Weltwirklichkeit

Die Einsicht in das von Paulus so Gemeinte verstellt man sich nur meist damit, daß man den ontologischen Status der Auferweckung Jesu falsch bestimmt, sofern man darin eine Vergöttlichung sieht. Mit diesem dualistischen Platonismus von Geschichte und Übergeschichte, Natur und Übernatur oder Immanenz/Transzendenz wird aber die paulinische Position verzeichnet. Jesus ist mit der Auferweckung nicht vergöttlicht – vielmehr ist ein ontologisch neuer Gegenstandsbereich im Bereich der dem Schöpfer gegenüberstehenden Schöpfung geschaffen: Wenn 1Kor 15,20–22 den Auferweckten Adam gegenüberstellt, dann in dem Sinne, daß wie mit der Menschwerdung der ersten Hominiden ein Novum geschaffen wurde, so auch mit der Auferweckung Jesu. Das wird auch daran deutlich, daß nach 1Kor 15,23–28 dieser neue Bereich, der mit der Auferweckung Jesu zum Mitherrscher einen Anfang hat, so auch mit der Parusie ein Ende, wenn der Sohn die Herrschaft Gottes zurückgibt und in die Reihe der Söhne zurücktritt. Diese zeitliche Begrenzung der Herrschaft Christi ist der entscheidende Gesichtspunkt dafür, daß Ostern keine Vergöttlichung Jesu bedeutet.

Dies ist schließlich auch der Grund dafür, daß 1Kor 15,35–44 den Realitätscharakter der Auferweckungswirklichkeit in Relation zur schon gestuften und differenzierten Realität im botanischen, zoologischen und astronomischen Bereich beschreiben kann. Der Ostern eröffnete Wirklichkeitsbereich ist also ein neuer Gegenstandsbereich, der sich nicht prinzipiell von den bisherigen empirischen Wirklichkeitsbereichen abhebt, sondern nur graduell.[74]

Im Unterschied zu K. Barth ist von Paulus her die Frage »Wie ist eine evangelische Theologie als Wissenschaft möglich?«, so wie sie H. Scholz gestellt hat, positiv zu beantworten[75]: Das »Satzpostulat« (Aussagen über Sachverhalte) einschließlich der Forderung der Widerspruchsfreiheit ist eine Grundbedingung jedes axiomatischen Systems, das 1Kor 15 voraussetzt. Dasselbe gilt von dem »Kohärenzpostulat« für jeden einheitlichen Gegenstandsbereich, wie er in der urapostolischen Evangelio-logie ebenfalls vorliegt. Das »Kontrollierbarkeitspostulat« (Falsifikation und Verifizierbarkeit) läßt sich auf 1Kor 15 sogar in der strengeren Form der Protokoll- und Kontrollsätze anwenden als Scholz glaubte, der es hier auf bloße Verstehbarkeit reduzieren zu müssen glaubte.[76] Dem »Unabhängigkeitspostulat« (Freiheit von Vorurteilen) wird durch die moralische Selbstinfragestellung 1Kor 15,15 und auch sonst auf Schritt und Tritt bei Paulus (vgl. Gal 1,10 als Grundvoraussetzung der Evangeliumsgemäßheit) Rechnung getragen. Schließlich zeigt die ontologische In-Beziehung-Setzung zu anderen Wirklichkeitsbereichen 1Kor 15,35 ff, daß auch das »Konkordanzpostulat« im Blick ist: Die Sätze dieses Gegenstandsbereiches dürfen nicht den in anderen Gegenstandsbereichen gültigen Sätzen widersprechen.

Die Auferweckung Jesu als Novum durch Neuschöpfung schließt etwa die Behauptung eines leeren Grabes als Verletzung von in biologischen Realitätsbereichen gültigen wahren Sätzen ebenso aus wie Essen, Reden oder Betasten des Auferweckten. Mit der Wiedergabe des vorpaulinischen Lehrsatzes 1Kor 15,50: »Fleisch und Blut sind außerstande, die Gottesherrschaft zu erben« hätte nicht erst Paulus, sondern schon die Formulierer und Überlieferer dieses Satzes solche Einzelzüge, wie sie sich dann in den nachapostolischen

Jesusbiographien finden, als der Sache abträglich abgewiesen. Paulus hätte auch hier sich als »Lügenzeuge« gewußt, der behaupte, er habe ein leeres Grab gesehen – oder Gott habe Jesus von der Jungfrau Maria geboren sein lassen, was er gar nicht getan hat. Theologie als axiomatische Theorie in Gestalt einer logischen Syntax des Evangeliums ist also von den urapostolischen Ansätzen her nicht nur möglich, sondern gefordert, da das Evangelium als Auferweckungsformel die Auferweckung Jesu als einen wissenschaftlich ausweisbaren Sachverhalt versteht und ihn nicht im Sinne einer dezisionistischen, angeblichen »Glaubensaussage« mißversteht.[77] Eine logische Syntax des Evangeliums als Explikation der Auferweckungsformel ist möglich, weil ihre Implikationen, ihre Wenn-so-Beziehungen, die Forderung erfüllen, »daß das Forderglied dieser Wenn-so-Beziehung nicht leer sein darf«[78].

2.4 Die Anwendung der Logik des Evangeliums in frühkirchlichen Auseinandersetzungen

Nur weil diese Bedingung als erfüllt vorausgesetzt werden kann, kann Paulus auch das Syntagma *hē alētheia tou euaggelíou* (Gal 2,5.14) bilden. Die Anwendung an beiden Stellen in der narrativen Argumentation für zwei verschiedene Anlässe (Jerusalem und Antiochia) macht deutlich, daß die logische Syntax des Evangeliums durchaus nicht auf 1Kor 15 beschränkt ist. In beiden Fällen geht es um das Durchhalten der logischen Konsequenzen (Syntax) aus dem semantischen Gehalt des vorgegebenen Protokollsatzes. Darum ist es berechtigt, wenn entgegen der leicht in seinem Gewicht unterschätzten konkordanten Übertragung »Wahrheit des Evangeliums« neuerdings betont geltend gemacht wird, daß es hier um die »Logik des Evangeliums« geht.[79]

In beiden Fällen wird deutlich, daß die logischen Konsequenzen aus der Evangeliumsformel auch Norm für Verhalten und Handlungen ist (*orthopodousin prós* ist Gal 2,14 dem Syntagma zugeordnet). Nach dem Zusammenhang geht es beidemale um Rechtfertigung von revolutionären Neuerungen (Beschneidungsunterlassung und gemeinsames Herrenmahl zwischen Heiden- und Judenchristen) entgegen einer Anpassung an die für Juden geltenden Normen. Es kommt jeweils zu Spannungen mit denen, deren Orientierungsprinzip nicht die »Logik des Evangeliums«, sondern die »normative Kraft des Faktischen« bzw. die Einheit der Kirche als solche ist. Die logische Syntax des einen »Evangeliums« ist so objektiv bestimmend, daß Paulus sowohl Gal 1,8 f es im Zweifelsfalle gegen sich selbst kehren kann als auch Gal 2,14 Petrus zur Rechenschaft ziehen kann (und zwar öffentlich!) – ohne sich auf vorherige kirchliche Abmachung oder Entscheidung berufen zu müssen: Die logischen Konsequenzen sind intersubjektiv und aufgrund der logischen Syntax der Sprache jedermann einsichtig. Selbst jeder Apostel ist dem »Evangelium« untergeordnet[80], woraus sich ergibt, daß alles unapostolisch ist, was nicht in der logischen Syntax dieses einen »Evangeliums« steht. Es ist anzunehmen, daß Paulus auch im antiochenischen Zwischenfall Petrus überzeugt hat, weil er sonst nicht mit seinem Fall in Galatien argumentieren könnte. Somit hat die logische Syntax hier selbst Petrus erst wieder zum Apostel gemacht, weil sie als Gestalt der Liebe die »Ethik des Beweises« ist[81], die darum von der Sache her auf eine indirekte Durchsetzung durch Geltendmachung von Personalautorität oder Institutionalzwang verzichtet.[82]

Auch vorher resultieren Gal 2,5 ff die Bewertungen der Jerusalemer Abmachungen darauf, daß Paulus sie als logische Konsequenz des Evangeliums denkt, selbst wenn sie von der Gegenseite nur als Kompromiß verstanden sein sollten. Dann würde gerade an der Folgeepisode in Antiochia deutlich, daß er wie jeder Kompromiß, der aus Konzessionen entsteht, seine Schwäche und Unbrauchbarkeit auf jeden Fall dann zeigt, wenn der nächste Konflikt auftaucht.[83] Damit ist die Notwendigkeit der logischen Syntax des Evangeliums nicht nur für Mission und Ethik, sondern auch für den soziologischen Bereich des ökumenischen Miteinanders maßgebend.

2.5 Zur apostolischen Semantik des technischen Syntagmas »Evangelium Christi«

Wichtig ist auch der Hinweis, daß es statt der Betonung des einen und unabänderlichen »Evangeliums« Gal 1,6 ff bzw. der »Logik des Evangeliums« in Gal 2,5.14 wegen des feststehenden semantischen Gehaltes und der pragmatischen Nachrichtfunktion »in einem weniger polemischen Zusammenhang ... dann einfach *tò euaggélion* heißen« kann.[84] Damit ist nichts mehr gesagt, als daß tatsächlich an allen 47 Stellen, an denen bei Paulus die metasprachliche Bezeichnung »Evangelium« auftaucht (also ohne die nachpaulinische Glosse Röm 16,25), sowohl der semantische Gehalt des Protokollsatzes als auch die Implikationen seiner Kontrollsätze – also seine logische Syntax – signalisiert sind. Die durchgehende Verwendung des Substantivs im Singular macht deutlich, daß es immer um ein und denselben Sachverhalt geht. Darum ist auch der sich 8mal (bzw. 10mal) und zwar nur bei Paulus und nur in den anerkannten echten Briefen und sonst nirgends im urchristlichen Schrifttum findende Genitivzusatz *Christou* in einem Paulus sicher schon vorgegebenen Syntagma[85] als Objektgenitiv zu verstehen[86] und fungiert als Abkürzungsbezeichnung für die Auferweckungsformel (Gal 1,7 ; 1 Thess 3,2 ; Phil 1,27 ; 1 Kor 9,12 ; 2 Kor 2,12 ; 9,13 ; 10,14 ; Röm 15,19 – 2 Kor 4,4 variiert durch dazwischengeschaltetes *tês dóxēs* ; Röm 1,9 ad hoc variiert durch das Synonym *hyiós* als Anaphora (Rückweiser) auf die erweiterte Auferweckungsformel in Röm 1,3 f ; beim Verb ist Gal 1,16 ebenfalls *hyiós* Objekt, 1,23 *pístis* als Kontextsynonym bzw. 1,8a. 8 b.9 anaphorisch das »Evangelium Christi« von V.7). Eine solche christologische Näherbestimmung findet sich abgewandelt sonst nur Markus 1,1 und dürfte bei der zu beobachtenden Nähe des Markusevangeliums zum Kolosserbrief wie dieser selbst traditionsgeschichtlich direkt auf den Paulusbriefen aufruhen. In dem vorpaulinischen und paulinischen Syntagma mit »Christus« klingt immer noch das semantische Element des Messias, des eschatologischen »Mitherrschers Gottes« deutlich an, wie die Synonymie mit »Sohn« bezeugt, wobei ja auch hier angesichts der semantischen Füllung dieses Wortes von der Königstitulatur als

»Einsetzungssohnschaft« her schon die konkordante Übertragung der Vokabel mit »Sohn« semantisch noch unvollständig ist; auch sie muß präzis mit »Mitherrscher« wiedergegeben werden.

Die konkret als Auferweckungsformel gemeinte Sache im uraposotolischen Terminus »Evangelium« erreicht ihren zugespitzten Höhepunkt in der zweimaligen polemischen Antitheseformulierung »anderes Evangelium« in Gal 1,6 (dort in Relation zu »Evangelium vom auferweckten Mitherrscher Jesus« in 1,7, nachdem schon 1,1 die Auferweckungsformel direkt anklingen ließ) und im Tränenbrief 2Kor 11,4 (wo ebenfalls der Bezugspunkt des Syntagmas »Evangelium vom auferweckten Mitherrscher Jesus« in 10,14 direkt gegeben ist). Darum kann es nur die Befangenheit in einem zeitweilig modischen personalistischen Vorurteil signalisieren, wenn man gerade zu diesen Antithesen bemerkt: »Der Inhalt des Evangeliums ist nicht(!) in Worten festgelegt und doch(!) theologisch präzis gegenüber einem ›anderen Evangelium‹ abzugrenzen.«[87] Das metasprachliche Syntagma »Evangelium Christi« ist ein Kürzel für die Auferweckungsformel, das falsch aufgelöst wird, wenn man kurzschlüssig immer wieder behauptet: Der Inhalt des Evangeliums ist eine Person, oder: »Jesus Christus ist der zentrale Inhalt des Evangeliums«[88] Damit wird in vorsemantischer Exegese aus apologetischen Gründen holistisch undifferenziert der nachapostolische Sprachgebrauch von Markus 1,1 oder die Idee von Johannes 20,31, der die nachsiebziger Jesusbiographien durchaus bestimmt, entgegen den bestehenden semantischen Differenzen einfach in den uraposotolischen Sprachgebrauch eingetragen. Diese Unsauberkeit wirkt auch da nach, wo man betont, daß Gott doch »diesen« Jesus auferweckt habe. Eine solche Betonung hat in den apostolischen Schriften und für die apostolische Zeit keinen Anhalt. Sie überträgt vielmehr einen betont lukanischen Denkzusammenhang unkritisch in die Frühzeit der Kirche: »Dieser« Jesus ist Apg 2,23 nach V.22 (vgl. 10,40 im Verhältnis zu 38f) der literarische, von Lukas im ersten Band seiner Biographie so spezifisch dargestellte Wunderchristus[89], der etwa den antipaulinischen Agitatoren im Tränenbrief 2Kor 10–13 entspricht, die Paulus als »anderes

Evangelium« abweist. »Dieser Jesus« ist Apg 2,32 die spezifisch lukanische Jesusgestalt unter dem Aspekt der Heilsplanerfüllung im Sinne der lukanischen Vorsehungsgeschichte.[90] Schließlich kann das betonte Demonstrativpronomen Apg 2,36; 5,31 auch dazu dienen, in typisch lukanischer Sicht die Schuld der Juden am Tode Jesu zu betonen.[91] Wer darum darauf insistiert, daß Gott »diesen« Jesus auferweckt hat, trägt auch den mit der lukanischen Christologie untrennbar verbundenen lukanischen Antijudaismus in das apostolische Evangeliumsverständnis ein, der der urapostolischen Zeit gänzlich fremd ist.[92]

2.6 Die semantische Relevanz der auf »Evangelium« bezogenen Handlungsverben

Daß mit dem apostolischen »Evangelium« der semantische Gehalt der Auferweckungsformel gemeint ist, wird auch durch die mit diesem Ausdruck im Funktionsverbgefüge verbundenen Handlungsverben unterstrichen, die untereinander sämtlich synonym sind, wobei die Aoristform noch die Einengung auf die Anfangsnachricht der Missionsverkündigung unterstreicht: 1Kor 15,3 gebraucht aoristisches *paradounai* (Überlieferungsweitergabe), Gal 1,12 aoristisches *didáxai* (wie 2Bar 77,12 und von da her Par.Jer. 7,32 im Verhältnis zu 3,11; 5,21), was in der antiken Rhetorik speziell »die vom Redner intendierte intellektuelle Einwirkung auf den Hörer« bezeichnet[93] (von daher wundert es nicht, daß Röm 6,17 die Evangeliumsbezeichnung *týpos didachēs* bildet und als objektive, über das hörende Subjekt verfügende Größe charakterisiert[94]). 1Thess 2,8 verwendet dafür aoristisches *metadounai* (Übergabe), was V.9 sofort mit synonymen aoristischen *kērýxai* aufnimmt (als jüdisch wie hellenistisch übliches Synonym[95] – vgl. PsSal 11,1ff – hat es bei Paulus nicht die Patina, mit der es einige Jahrzehnte »Kerygma-Theologie« belegt haben) und was Gal 2,2 nur wegen der synchronen Dauer im Präsens steht; im Präsens stehen auch wegen der ausgedrückten Allgemeingültigkeit die Handlungsverben *kataggélein* 1Kor 9,14 und *tithénai* 1Kor 9,18 (als »Darbieten«).[96]

An hervorgehobenen Stellen verwendet Paulus 3mal (bzw. 4mal 1Kor 15,1 und anaphorisch wiederholt V.2 sowie 2Kor 11,7 ; Gal 1,11) aoristisches *euaggelísai* in der Figura etymologica, was nicht zufällig ist, weil die »Stammwiederholung der Intensivierung der semantischen Kraft dient«[97] : »wirklich diese spezielle Nachricht, mit der ich euch benachrichtigt habe«.

Reziprok zu diesen sieben Handlungsverben sind in der Schulterminologie die synonymen Komplenyme: aoristisches *paralabeîn* (Gal 1,9.12 ; 1Kor 15,1.3), aoristisches *déxasthai* (2Kor 11,4), aoristisches *pisteúsai* (1Kor 15,2.11, was V.14.17 durch den anaphorischen Artikel durch das nomen actionis *pístis*=*pisteusai* aufgenommen wird bzw. als nomen actionis im Syntagma *pístis tou euaggelíou* Phil 1,27 oder synonym *homología eis tou euaggélion* 2Kor 9,13), aoristisches *hypakousai* Röm 10,16. Metaphorisch steht 1Kor 4,15 *gennêai dià tou euaggelíou*.

Der gleiche semantische Bezug zur Missionsnachricht ergibt sich aus den Rückverweisen auf die Tatsache der von Paulus übermittelten Nachricht: Gal 1,11 führt die erste Person Singular die erste Person Plural von 1,8 weiter, wofür er abgekürzt auch »unser Evangelium« sagen kann (1Thess 1,5 ; 2Kor 4,3), was nicht mehr meint als das von uns gebrachte. In dem Sinne ist wohl auch das einmalige singularische »mein Evangelium« Röm 2,16 zu verstehen, falls hier nicht wie Röm 16,25 zweifelsfrei ein nachpaulinischer Zusatz vorliegt. Doch die berichtende Relation im Rückblick »Ich zu Euch« liegt auch 1Kor 15,1f ; 2Kor 11,7 selbstverständlich vor (in verkürzter Ausdrucksweise auch Gal 4,13 ; 2Kor 10,16 ; Röm 1,15). Der semantische Gehalt des Personalpronomens als des Handlungssubjekts wird klar erläutert durch die Wendung, daß ihm diese Nachricht nur »anvertraut« ist (1Thess 2,4 ; Gal 2,7), was Röm 1,1 reziprok dazu mit »ausgesondert für das Evangelium« bezeichnet. Mit beiden Verben, die auf die Ostererscheinungen zurückweisen und die darum zum Wortfeld des Apostolats gehören, wird zugleich die zweite Weise deutlich, in der Gott Subjekt des Evangeliums ist. Folge dieser »Aussonderung« und dieses »Anvertrauens« ist dann der Dienst am Evangelium (Phil 2,22 *douleúein eis*, Röm 1,9 *latreúein en*, Röm 15,16 *hierourgeîn to* bzw. im Miteinander *synathleîn en* Phil 1,27; 4,4). Das aber heißt nicht, daß mit den Possessivpronomen bei »Evangelium« dieses als sein eigenes und spezifisches, von anderen abgehobenes bezeichnet wäre, sondern vielmehr nur seine apostolische Relation zu ihm bzw. die Relation als Apostel zu den von ihm dadurch entstandenen Gemeinden. Es gibt also kein spezifisch »paulinisches Evangelium«. Dieser Terminus ist im höchsten Maße irreführend. Selbst bei den Syntagmen mit dem Possessivpronomen der ersten Person ist immer das eine und unverwechselbar vorgegebene urapostolische Evangelium der Auferweckungsformel gemeint.

2.7 Wider den verhängnisvollen Irrtum von einem »absoluten Begriff« Evangelium

Wenn Paulus das Substantiv 25mal ohne eine Näherbestimmung verwendet, so ist das bemerkenswert; dennoch ist es semantisch inkorrekt, aus der grammatischen Form hier sofort eine syntaktische Funktion zu machen und von einem »absoluten Begriff« des Evangeliums zu sprechen.[98] Denn der Artikel hat in diesen Fällen immer anaphorischen Charakter (also den semantischen Gehalt eines deutschen Demonstrativpronomens »dieses«) und weist entweder textsemantisch auf die vorherige Erwähnung in dem betreffenden Brief zurück oder aber referenzsemantisch auf das bei den Adressaten geschehene Ausrichten dieser Nachricht:

– Gal 1,11 folgt sowohl eine attributive Näherbestimmung wie andererseits ein anaphorischer Rückbezug auf V.6–9 gegeben ist; 2,2 folgt ein näherbestimmender Relativsatz und die Anaphora auf die Stellen von Kap. 1 ist weiterhin deutlich; 2,5.14 ist durch das Syntagma »Logik des Evangeliums« der konkrete, feststehende Inhalt des Evangeliums ohnehin im Anschluß an 1,6–9 vorausgesetzt.
– Phil 1,5 weist das nomen actionis referenzsemantisch auf die den Adressaten bekannten eigenen Aktivitäten hin, was V.7 textsemantisch anaphorisch aufnimmt; 1,12 ist wieder referenzsemantisch nomen actionis, was V.16 textsemantisch anaphorisch aufnimmt; 1,27b ist der anaphorische Bezug zum V.27a genannten vollen Ausdruck »Evangelium

Christi« besonders deutlich; 2,22 wird der anaphorische Zusammenhang durch »mit mir« deutlich; 4,3 in Phil C und 4,15 in Phil A liegt jeweils ein nomen actiones vor, mit dem referenzsemantisch an Tatbestände erinnert ist, die den Adressaten bekannt sind.

- 1 Thess 2,4 ist Anaphora zu 2,2.
- Phlm 13 ist Anaphora zu V.1.9.
- 1 Kor 4,15 ist für die Adressaten klar referenzsemantisch; 9,14 b (Inhalt). 14 c (nomen actionis). 18 b.18 c.23 weist der Artikel anaphorisch auf »Evangelium Christi« in 9,13 zurück; 15,1 ist attributiv näherbestimmt und referenzsemantisch orientiert und wird verstärkend noch als Kataphora auf V.3–5 genommen.
- 2 Kor 8,18 ist nomen actionis in referenzsemantischer Erinnerung an den Lesern Bekanntes.
- Röm 1,16 ist Anaphora zum Zitat von V.3 f; 10,16 ist Anaphora auf die V.9 zitierte Auferweckungsformel, 11,28 dann eine entferntere weitere Anaphora darauf.

Der anaphorische Charakter an allen 25 Stellen verbietet es, von einem »absoluten Begriff« zu reden. Die absolute Verwendung ist immer Anaphora und Kürzel der vollen vorpaulinischen Bezeichnung »Evangelium Christi«.[99] Von dieser Beobachtung her ist es außerdem berechtigt und gefordert, reziprok auch dort, wo nur das andere Element dieses Syntagmas – also »Christos« – im Text steht, ebenso zu fragen, ob dort nicht nur ein Kürzel für »Evangelium Christi« als Metonym vorliegt.

Derselbe Sachverhalt der meist referenzsemantischen Anaphora ist auch dafür verantwortlich, daß mindestens 8 der 18 terminologischen Verbstellen (ohne die unterminologische Verwendung 1 Thess 3,16) ebenfalls absolut stehen: »die Auferweckungsnachricht ausrichten« (falls man Gal 1,8 a.8 b.9 determiniert faßt – sonst müßte man 11 mal absolute Verwendung konstatieren):

- Gal 4,13 (Aorist; vgl. 1,8 als Abkürzung der Figura etymologica in 1,11 als volle Wendung);
- 1 Kor 1,17 (1. Person); 9,16 a.16 c (1. Person). 18 in grundsätzlichen Selbstaussagen des Apostolats;
- 2 Kor 10,16 (Aorist, also referenzsemantische Anaphora)
- Röm 1,15 (Aorist); 15,20 (grundsätzlich).

2.8 Auch das technische Syntagma »Evangelium Gottes« ist kein Offenbarungsbegriff

Dabei ist außerdem deutlich, daß sowohl beim Verb als auch beim nomen actionis niemals Gott als handelndes Subjekt auftaucht. Darum ist das absolute Nomen nie dahingehend theologisch im engeren Sinne zu interpretieren (im Gefolge der noch immer herrschenden Offenbarungstheologie des 19. Jahrhunderts), daß »Evangelium« als »Offenbarung Gottes«[100] zu verstehen sei. Es ist auch zu bestreiten, daß das Genitivsyntagma »Evangelium Gottes«, das 6mal und (außer Mk 1,15) nur in den paulinischen Homologumena verwendet wird (1Thess 2,2.8.9 ; 2Kor 11,7 ; Röm 1,1 ; 15,16) als Gen.auctoris als »die Botschaft, die Gott verkündigen läßt, ja die er selbst spricht«[101], gemeint ist. Daß Gott selbst hier als der Redende gedacht sei, muß schon von daher ausgeschlossen werden, daß Gott nie als Subjekt des Verbs und seiner Synonyme erscheint. Klar erscheinen auch in der Hälfte der Belege des Syntagmas (1Thess 2 im Anschluß an die zitierte Missionsverkündigung 1,9f und 2,2.8f wie 1,5) die Apostel selbst als die Redenden benannt. Auch die in nicht kontradiktorisch gemeinter Antithese 2,13 auftauchende synonyme Wendung »Wort Gottes« ist wesentlich als eine von ihrem Inhalt, der Auferweckung als Tat Gottes her bestimmte Wendung anzusehen. Ganz klar ist 2Kor 11,7 gerade beim Syntagma »Evangelium Gottes« Paulus das Subjekt der Verbs »evangelisieren«. Von daher ist ausgeschlossen, daß das Substantiv »Evangelium« in dem Syntagma »Evangelium Gottes« jemals nomen actionis ist. In Röm 15,16 ist das menschliche Subjekt der Mission ebenso deutlich, und die selbstverständliche Verwendung Röm 1,1 an eine von Paulus nicht gegründete Gemeinde läßt voraussetzen, daß dieses Syntagma benutzt wird, weil es auch den römischen Christen als ein für die Missionsverkündigung mit der Osterformel kennzeichnender terminus technicus vertraut war. Mit »Gott« ist primär auf den Inhalt der Auferweckungsformel, auf die Erweckung Jesus als Tat Gottes abgehoben. In diesem Sinne handelt es sich in erster Linie um einen Objektgenitiv. Doch schon die so selbstverständlich erscheinende Folgerung, daß »Gott das Evangelium ausrichten läßt«, ist nicht so selbstverständlich, wie sie unserer kirchlichen Tradition entspricht: denn Paulus bezeichnet sich wohl als »Apostel Christi« (Gal 1,1 ; 1Thess 2,7 ; 1Kor 1,1 ; 2Kor 1,1 ; 11,13) aber nie als »Apostel Gottes«. Dies dürfte mit dem Unterschied von Osterereignis und Ostererscheinung zusammenhängen. Ostern ist klar als Tat Gottes an Jesus ausgesagt. Das *ōfthē* der Ostererscheinungen wird zwar von Lk 24,34 ; Apg 13,31 nach Apg 10,39f klar als Erscheinen-Lassen als Handeln Gottes bestimmt[102], doch ist von daher noch nicht dasselbe für die vorpaulinische Formel 1Kor 15,5 anzunehmen, die Lukas aufnahm. Die ganz spezifische Bezeichnung »Apostel Christi« deutet darauf hin, daß die Ostererscheinungen »Christus« – als den auferweckten Mitherrscher Gottes – zum spezifischen Subjekt hatten.

2.9 Das In-Erscheinung-Treten des Auferweckten als semantisches Problem

»Die Erscheinung des auferstandenen Jesus zeigte den Jüngern in unüberbietbarer Weise die Auferweckung Jesu. Diese konnte nur als Tat Gottes verstanden werden«[103], da sie nicht als menschliche Tat angesprochen werden kann – weder als die Tat Jesu selbst noch als Tat eines oder mehrerer anderer Menschen an ihm. Sie ist ein universalgeschichtliches Novum und nicht ein das Leben Jesu beschließendes individualgeschichtliches Abschluß-Ereignis. Das Verständnis der 1Kor 15,5–8 4mal verwendeten Wendung *ōfthē* + Dativ scheint sich inzwischen in eine forschungsgeschichtliche Stabilität der Klärung bewegt zu haben[104]:

a) eine rein passivische Übersetzung der Wendung, wobei Kefas logisches Subjekt würde (»er wurde gesehen«) kann ausscheiden, da sie grammatisch auch ein griechisches »von« Kefas erfordern würde.

b) die kausative Auflösung, die ein Passivum divinum annimmt[105] (»Gott ließ ihn sehen« – so Lukas), beruft sich auf das 1Kor 15,4 in der Formel vorausgehende Verb *egēgertai* und hält eine Konstanz des Subjekts für selbstverständlich. Dies aber ist zu bestreiten, denn von der Formelstruktur her wird eher das Gegenteil nahegelegt: Schon beim Übergang von der ersten zur zweiten Zeile liegt ein Subjektwechsel vor – denn Jesus ist Subjekt des Sterbens aber nicht seines Begräbnisses; von der zweiten zur dritten Zeile liegt wieder ein Subjektwechsel vor, da der Auferweckende nicht der Begrabende war. Darum ist auch in der vierten Zeile ein abermaliger Subjektwechsel geradezu zu erwarten, zumal an dieser Stelle auch noch ein Übergang vom Perfekt zum Aorist gegeben ist, so daß auch darum die dritte Zeile diese theologische Voraussetzung für die vierte Zeile schon nennt und sie also nicht in der vierten Zeile wiederholt zu werden braucht.

Daß Gal 1,15 f auch direkt das Handeln Gottes betonen kann, wenn von der Ostererscheinung allein die Rede ist, ist unbestritten, doch muß man sehen, daß dabei eben auch ein anderes Verb *(apokalýptein)* verwendet ist. Referenzsemantisch (= sigmatisch – also im Bezeichnungsaspekt) meinen beide denselben Sachverhalt, dennoch ist der textsemantische Bedeutungsgehalt beider verschieden.[106] Denn eben sowenig kann man ja auch umgekehrt aus dem *heōraka* von 1Kor 9,1 für unsere Stelle die Bedeutung (a) postulieren, wiewohl dort natürlich von einer solchen Subjektbetroffenheit die Rede ist. Auch hier muß man klar sehen, daß beide wohl sigmatisch dasselbe bezeichnen, ohne daß man daraus semantische Schlüsse für *ōfthē* ziehen kann, als ob die Bedeutung identisch sein müsse.[107] Diese beiden Aspekte sind also in bezug auf den Sachverhalt der Ostererscheinungen durchaus aussagbar – jedoch nicht im *ōfthē* selbst ausgesagt.

Vögtle[108] kritisiert vor allem an Friedrich, daß er die »Gotteserscheinungsformel« der LXX (bzw. Ex 3,2 eines »Boten Gottes«) nicht genügend als die engste und nächste Parallele in Betracht zieht, so daß ausgesagt ist »er ließ sich sehen«. Dies ist auch im Profangriechischen eine zwar nicht häufige, aber immerhin vorhandene, intransitive Bedeutung »sich vorstellen, zeigen« (z. B. DioCass 51.17.5: den Ägyptern zeigt sich ein übergroßer Drache, der ihnen ihre Eroberungen anzeigt).[109] Wie schon Gen 1,9 (Das Trockene erscheint: *ōfthē hē xērá*) zeigt, kann das überhaupt vom hebräischen *r'h* her für das objektive In-Erscheinung-Treten als solchem – abgesehen von theologischen

Implikationen – gebraucht werden, ja so objektiv, daß Gen 1,9 ja nicht einmal ein beobachtender Mensch vorausgesetzt ist vgl. auch r'h Lev 13,19 ; 1Kön 18,1 f ; bzw. »vorhanden sein« 1Kön 10,12 ; Ri 19,30 »Nichtvorhandensein«).[110] Dies ist nun in unserem Wortfeldzusammenhang auf jeden Fall zu veranschlagen, da »Auferweckung« ein Schöpfungsvorgang ist und *ôfthē* das Resultat dieses Schöpfungshandelns Gottes bezeichnet und so ein neues Subjekt – nämlich das Resultat und Objekt dieses Handelns Gottes – erfordert. Bezeichnet ist also das objektive In-Erscheinung-Treten dem Kefas wie den übrigen Genannten gegenüber. Es geht also um ein neues Stück Weltwirklichkeit im Zusammenhang der bisherigen Weltwirklichkeiten (1Kor 15,35–44).[111] Dies alles deutet aber nicht auf einen zu engen Zusammenhang mit einer »Theophanie«. Da auch Angelophanien so beschrieben werden, kann man nicht zu deduktiv auf die Konzeption (b) kommen, was als Gefahr sichtbar ist und ausgeschaltet werden muß.

H. W. Bartsch[112] will dagegen auf dem Hintergrund der Belege, bei denen Gott Subjekt ist, die LXX-Gen 12,7 bei Abraham beginnen und 3Regn 11,9 mit Salomo enden, nun die frühere Heilsgegenwart Gottes bei seinem Volk, die damals nur als Hoffnungsgut erschien, eschatologisch wieder – und zum Abschluß gebracht, als ursprüngliche Bedeutung der Ostererscheinung vor Petrus annehmen. Damit wird die Deutung von *ôfthē* als Parusieterminus von Lohmeyer wieder aufgenommen und weitergeführt.[113] Zur Beurteilung dieser Deutung in einem funktionalen Sinn ist zu sehen, daß sie auf der Voraussetzung ruht, daß die Endzeit die Urzeit wiederbringe. Unreflektiert ist aber auch die Präsupposition eines Glaubensverständnisses übernommen worden, das inadäquat ist, was sich darin zeigt, daß entgegen den ältesten Texten von einem »urchristlichen Glauben(!) an die Erscheinung(!) des Christus«[114] gesprochen werden kann. Ebensowenig ist die Implikation zu halten, daß entgegen allen urchristlichen Zeugnissen die Auferweckung Jesu als dessen Vergöttlichung angesehen wird, wofür die Kyrios-Titel-Übertragung als Gleichsetzung von Gott und Christus bemüht wird.[115] Auf dem Hintergrund einer langen abendländischen, vom platonischen Dualismus geprägten binären Gott-Mensch-Ontologie, die nicht zuletzt im deutschen Idealismus des 19. Jahrhunderts und seiner Offenbarungstheologie nachwirkt, ist die geschichtliche Fassung der Christologie bei Paulus und in den vorpaulinischen Traditionen immer wieder übersehen worden. Fast durchweg wird unbewußt vorausgesetzt, daß Jesus zu Ostern »ins Leben Gottes selber bzw. zum unendlichen Leben« auferweckt sei.[116] Sowenig man ohne semantische Präzisierung sagen kann, daß mit dem *ōfthē* + Dativ von 1Kor 15,5–8 einfach »die« Gotteserscheinungsformel der LXX aufgenommen und auf den Auferweckten »übertragen« sei, so wenig ist das *apokalýpsai* von Gal 1,16 (vgl. 1,12) semantisch adäquat beschrieben, wenn man sagt, daß »sich der Auferweckte gleich(!) dem unsichtbaren Gott zur sichtbaren Erscheinung bringt«[117].

2.10 Die innergemeindliche Verkündigung gilt apostolisch nicht als »Evangelium«

Wir halten also fest, daß »Evangelium« nach den vorpaulinischen Traditionen präzis die Auferweckungsformel als Informationssatz und Missionsrede ist. Dabei ist nochmals an die Differenz zu erinnern, daß nicht alles Reden der Christen – also auch nicht die gesamte »Verkündigung der Kirche« – »Evangelium« ist. Die uns geläufige Vorstellung, daß ein Pfarrer für die »Verkündigung des Evangeliums« ordiniert wird, erzeugt auch in dieser Hinsicht durch falsche Verallgemeinerung ein unsachgemäßes Verständnis von »Evangelium«. Vielmehr wird urapostolisch jeder, der die Osternachricht angenommen hat und getauft wird, zum Weitersagen, zur »Evangeliumsverkündigung«, also zur Mission »ordiniert«, was nach Phil 1,5; 1Thess 1,8 auch als selbstverständlich praktiziert vorausgesetzt wird. Was an christlichem Reden ständig innerhalb der Gemeinden geschieht, ist nicht Evangeliumsverkündigung, sondern das Ermitteln der Konsequenzen des Evangeliums. Dies ist nicht nur nach 1Kor 12–14 »prophetisches Reden«, sondern auch nach Röm 12,3–8 – also in von Paulus unabhängigen Gemeinden. Dieses Reden steht in einer klaren Beziehung zum Evangelium, sofern es »evangeliumsgemäß« sein soll; Röm 12,6 (vgl. 15,5) formuliert: »In der Übereinstimmung logischer Kontrollsätze mit dem Sachgehalt der Pistisformel« *katà tēn analogían tēs písteōs)*[118]. Hier reagieren alle Getauften redend und miteinander diskutierend auf die Probleme und Herausforderungen jeweils neuer sozialer, politischer und persönlicher Lebensfragen, indem sie im produktiven Meinungsstreit ermitteln, was wohl »evangeliumsgemäß« ist. In diesem Zusammenhang versteht Paulus auch seine Briefe nie als Evangelium, sondern als seinen je aktuellen Beitrag zum prophetischen Auftrag jeder Gemeinde.[119] Gemeindeverkündigung ist keine Evangeliumsverkündigung. Wer diese Unterscheidung verwischt, wird keinem von beiden gerecht, er verlängert vielmehr den oft vermerkten Übelstand, daß Gemeindeverkündigung vielfach nur steckengebliebene oder sich wiederholende Missionsverkündigung ist.

2.11 Jesusworte gelten apostolisch nicht als »Evangelium«

Das ist auch wichtig, wenn man die Rolle der Jesusworte in den frühen Gemeinden richtig bewerten will. Paulus dürfte alles gekannt (1Kor 7,25) und den von ihm gegründeten Gemeinden vermittelt haben, was man an Jesusworten kannte, und dies ist nicht etwa wenig, wie man oft irrtümlich meint, sondern wenn man außer den wenigen Zitaten auch die Anspielungen und Anklänge mitzählt, die in der Antike ohnehin das eigentliche Mittel der Aufnahme von wichtigen Traditionen war, wohl alles, was in späteren Texten noch als jesuanisch gelten kann. Was bei Paulus nicht anklingt, ist in der Regel in der späteren Redenquelle Q auch späteren, nachpaulinischen Datums.[120] Bei aller Wertschätzung von Jesusworten wird man doch eine Feststellung mit Bestimmtheit festhalten müssen: Jesusworte gehören in apostolischer Zeit nicht zum »Evangelium«, nicht zu der »Basis«, die nach 1Kor 15,5–8.11 von Petrus über Jakobus bis zu Paulus für alle gilt und sie wie die von ihnen Benachrichtigten zu Christen und zur Kirche macht. Das wird auch an der Verwendung des Jesus-Materials deutlich: Paulus bringt Jesusworte im prophetischen Reden, im Prozeß der Urteilsfindung und Meinungsbildung als Argumente unter

anderen ein. Sie stehen neben Vernunftargumenten, alttestamentlichen Zitaten und haben wohl eine gewisse Ehrwürdig-
keit aber keinen grundsätzlich anderen Charakter als andere
Argumente.[121] Es gibt kein Zurück hinter die Feststellung von
Campenhausens:

> »Die Worte des Herrn können dagegen wohl angeführt, vielleicht auch
> ›gelehrt‹ und eingeprägt werden; aber eine ähnlich grundlegende, heilsent-
> scheidende Bedeutung kommt ihnen nicht zu«; denn »sie enthalten eben nicht
> das, was für Paulus das grundlegende Evangelium ist.«[122]

Die Führung hat die logische Syntax des Evangeliums, wie
1 Thess 4,14 f sehr deutlich zeigt. Hier beantwortet Paulus die
Gemeindeanfrage nach der Zukunft der Verstorbenen so, daß
er zuerst die Evangeliumsformel erinnernd zitiert und darauf
die logischen Folgerungen für die christliche Hoffnung zieht.
Erst im Anschluß daran wird V.15 zur Unterstreichung und
Bestätigung ein Herrenwort angeführt, doch die Entscheidung
ist prinzipiell schon vorher gefallen.[123]

Das Herrenwort in 1 Kor 7,10 f fungiert als Orientierungsmar-
kierung, die offenbar nur differenzierend angewendet werden
kann, denn (a) muß er dieses Herrenwort selbst schon durch
eine Parenthese unterbrechen, mit der er sich an schon faktisch
Getrennte wendet, und (b) zeigt die differenzierende Weiterführung V.12 ff, daß je nach konkreter Lage der Dinge noch
sehr verschiedene Gesichtspunkte im einzelnen zu berücksichtigen sind. Grundsätzlich wird aber V.17–24 von der Berufung
durch das Evangelium her der Bezugsrahmen der Meinungsbildung und Urteilsfindung abgesteckt.

Noch instruktiver für diese Frage ist auch 1 Kor 9,14, wo mit
»dementsprechend auch« das Herrenwort mit der allgemeinen
Naturordnung und dem Mosegesetz verschränkt wird, so daß
alle drei Normen im Grunde dasselbe besagen, gegen deren
Entscheidungsfähigkeit aber schon V.12 die Würfel gefallen
waren, wodurch das Herrenwort von vornherein unter dem
Vorzeichen einer nicht unbedingt verbindlichen Anordnung
steht, was durch die Wiederholung von V.12 b in V.15 zu
einem direkten Widerspruch und Zusammenstoß von »Herrenwort« und »Evangeliumsgemäßheit« führt.[124] Paulus erklärt unumwunden, daß er sich nicht nach der Anweisung

eines Jesuswortes gerichtet hat und das auch künftig so zu halten gedenkt, weil für ihn die konkrete Weisung aktueller Evangeliumsgemäßheit die Führung hat. Wenn so wie 1Kor 9,12.15 die Ansprüche des Evangeliums den Ansprüchen der Herrenworte vorgehen könnte, ist deutlich, daß die Jesusüberlieferung weder zum Evangelium gehört noch selbst eine dem Evangelium gleichrangige Wertigkeit hat. Die Verantwortung orientiert sich primär an der Auferweckungswirklichkeit und deren Bekanntmachung in der ganzen Welt. Von dieser Verantwortung her können auch Jesusworte außer Kraft gesetzt werden.[125]

Man übergehe nicht in einem zu kühnen Sprung die Tatsache, daß Paulus als Kontrollinstanz für die historische Jesus-Frage hinsichtlich der Beurteilung der möglichen Traditionalität synoptischen Jesusgutes auch eine unübersehbare Rolle spielt: (a) Gegen eine traditionsgeschichtliche Überschätzung des Gleichnismaterials bleibt zu beachten: »Die Gleichnisse scheinen zu fehlen, werden von ihm jedenfalls nie erwähnt.«[126] (b) Zu Gal 4,4 bemerkte Haenchen entsprechendes in bezug zur vermeintlich als historisch zu nehmenden Gesetzeskritik Jesu: »Daß Jesus für Paulus ›unter das Gesetz getan‹ war, verschließt die Möglichkeit, daß er von einem ernsthaften Konflikt Jesu mit dem Gesetz wußte.«[127]

3. Markus

3.1 Die pseudosemantische Umcodierung des Evangeliumsbegriffs durch die Literarisierung des Markus

Finden wir also 20 Jahre nach dem Osterereignis in den Paulusbriefen noch das apostolische Profil des Kontinuums der Anfänge, so fällt der Grad der Diskontinuität, der wiederum zwanzig Jahre später mit der ältesten nachapostolischen Schrift, dem Markusevangelium, gegeben ist, um so stärker in die Augen. Markus verwendet in seiner Jesusbiographie 7mal das Lexem »Evangelium«, und an allen sieben Stellen dürfte es erst der Buchredaktor selbst ein, der diesen Ausdruck mit dem Jesusgut in Verbindung gebracht hat.[128] Daß diese Verbindung miteinander neuartig ist, zeigt sich schon an ihrer Instabilität, denn von seinen Nachfolgern ist nur Matthäus dieser Verbindung von Markus gefolgt, obgleich auch er schon die Belege auf 4mal reduziert, während sowohl Lukas als auch Johannes das Substantiv »Evangelium« wieder gänzlich aus ihren Jesusbiographien tilgen, obwohl sie beide unbestreitbar von Markus abhängig sind. Auch Markus selbst dürfte sich der Verwegenheit seines revolutionären Schrittes noch bewußt gewesen sein, denn er kennt und nennt zwar Mk 16,6 die Auferweckungsformel noch, jedoch ohne sie »Evangelium« zu nennen und sie so zu verstehen und andererseits stellt er sein Evangeliumskonzept von der schon irdischen Gottessohnschaft Jesu Mk 9,9 ausdrücklich unter eine bis Ostern befristete Geheimhaltung. Leserpragmatisch kann er so die Gewaltsamkeit seines pseudosemantischen Handstreichs möglicher Leserkritik gegenüber rechtfertigen.

Mit der überschriftartigen Verwendung von »Evangelium« im Vorwort an hervorragender Stelle Mk 1,1 im Vorwort seines Buches[129] geschieht sowohl eine Literarisierung wie eine Jesuanisierung des Lexems Evangelium. Semantisch vollzieht sich damit eine sogenannte »*metaphorische Assimilation,* durch die ein Sprecher und seine Hörerschaft sich auf etwas Neues hin orientieren können«; er gibt damit textpragmatisch »faktisch nichts als ein vorläufiges Schema«[130], wobei er allerdings bestimmte Elemente, die für den bisherigen Ausdruck semantisch wesentlich bestimmend waren, übernahm. Dabei geschieht nichts anderes, als was man im diachronischen Umgang mit Sprache auf Schritt und Tritt erlebt und beobachten kann, nämlich die »pseudosemantische Entwicklung in der Begriffsgeschichte«[131]. Was Markus vollzieht, ist also alles andere als eine selbstverständliche Erweiterung des semantischen Gehalts. Die entscheidenden Elemente des apostolischen Evangeliumsbegriffs waren

a) Auferweckungsnachricht

b) Christologische Funktionsbestimmung

c) Basisfunktion und Grundlagenwert für die Kirche.

Wenn diese konstanten Elemente von Markus mit der Jesushaggada und Teilen der Jesushalacha[132] verbunden werden, so wird ihr Wortfeld neu strukturiert, so daß auch ihr Stellenwert in dem neuen Wortfeld ein anderer wird. Darum wird alles falsch, wenn man einen zu weit und vorwiegend pragmatisch definierten Evangeliumsbegriff als »Heilsbotschaft« zugrundelegen wollte, der sowohl das apostolische wie das nachapostolisch-biographische Konzept umfassen sollte, weil damit die Widersprüche zwischen beiden verdeckt werden und keines von beiden exakt beschrieben wäre. Im Grunde würde so, wie es oben an Origenes veranschaulicht wurde, ein drittes semantisches Konzept, nämlich das späterer kirchlicher Tradition über beide dominieren.

Es dürfte klar sein, daß der Redaktor Markus den Terminus wegen der pragmatischen Funktion (c) – Grundlagenwert des Ausdrucks für die Kirche – aufgegriffen hat. Er erhebt damit den Anspruch, in seiner Jesusbiographie das authentische und verbindliche Jesusbild für die Kirche zu geben.[133] Die Differenz zwischen den apostolischen Paulusbriefen und den nachapostolischen Jesusbiographien fällt mit der grundlegenden antiken Differenzierung von primärer »Verbrauchsrede« und »Wiedergebrauchsrede« (PlatGorg 502 c,5) zusammen.[134] Markus und seine Nachfolger haben ihre Werke von vornherein als »Wiedergebrauchsrede« entworfen. Gerade wegen dieses Anspruchs ist die Feststellung der semantischen Differenzen zum apostolischen Konzept von »Evangelium« besonders wichtig.

Dominant werden durch die biographische Literarisierung des Evangeliumsbegriffs durch Markus folgende Züge:

3.2 Die Jesuanisierung des Evangeliumsbegriffs bei Markus

Das Konzept der Einsetzungshyiologie von Röm 1,3f wird zwar formal offenbar noch beibehalten, doch wird es Mk 1,9–11 durch die Anrede der Himmelsstimme an Jesus auf die Taufe Jesu vordatiert: »Eben Du bist mein von mir auserlesener Mitherrscher (= Sohn als Königstitel): Hiermit habe ich dich erwählt (Aorist).« In diesem christologischen Konzept liegt also nicht eine selbstverständliche Erweiterung von Röm 1,3f vor, sondern ein rivalisierendes Konzept. Die Taufe Jesu tritt an die Stelle von Ostern. Jesus gilt nicht mehr als der Ostern zum Mitherrscher Gottes Eingesetzte, sondern hier wird behauptet, daß dies schon Jesus von seiner Taufe bis zu seinem Tode war. Diese Taufszene ist gerahmt[135] von den beiden metasprachlichen, vom Buchverfasser aus der apostolischen Tradition aufgenommenen Syntagmen »Evangelium Jesu Christi, des Mitherrschers Gottes« Mk 1,1 und »Evangelium Gottes« Mk 1,14. Dem veränderten Evangeliumsbegriff entspricht ein veränderter Sohn-Gottes-Begriff, und diesem korrespondiert natürlich ebenso ein entsprechend jesuanisierend veränderter Apostelbegriff (Mk 6,30 vgl. das Verb 3,15; 6,7): Es sind die nach der Tauf-Sohnschafts-Einsetzung Ausgesandten und nicht mehr die nach der Auferweckungs-Sohnschafts-Einsetzung Ausgesandten. Während für das apostolische Evangelium und seinem Charakter als einer kontrollierbaren Protokollaussage die unmittelbaren Zeugen unvertretbar wichtig sind, so entfällt dieses Moment für Markus nicht nur wegen des wesentlich größeren zeitlichen Abstandes, sondern nach der Darstellung in Mk 1,10 ist auch Jesus der einzige Sehende. Offenbar ist nicht einmal der Täufer

»Zeuge«. Jesus ist sein Selbstzeuge, und die Leser der Jesusbiographie sind von Anfang an die Verstehenden, was sie über die in der Biographie dargestellten Aktanten und ihrem völligen oder teilweisen und zeitweisen Nicht-Verstehen erhebt. Der anhaltende Publikumserfolg der Jesusbiographien beruht nicht zuletzt auf dem alten Theater-Trick, der schon die antike Tragödie kennzeichnet: Die auf der Bühne Mitagierenden wissen nichts, der Zuschauer aber weiß Bescheid, wird so in ein Überlegenheitsbewußtsein versetzt und kann sich ins Fäustchen lachen. Der Leser bzw. das Publikum der Aufführung weiß von Anfang an mehr als bestimmte dramatis personae. In Euripides Spätwerk Bacchae weiß der Leser von Anfang an, daß der lydische Fremdling der Gott Dionysos ist. Der Markusleser weiß ebenso von der Proömiumsrahmung 1,1 f. 14 f mit dem Evangeliumsprädikat und der damit gerahmten himmlischen Stimme mehr als alle dramatis personae. Empfängerpragmatisch arbeitet Markus mit demselben Effekt wie R. Lembkes »Heiteres Beruferaten« oder ähnliche Ratespiele im Fernsehen. Das Wahrheitsbewußtsein dieses nachapostolischen Evangeliumsbegriffes ist deutlich ein anderes als das des apostolischen Evangeliumskonzepts. Der Leser beider Konzepte wird durch die Zusammenbindung beider in einem Kanon vor die Alternative gestellt, entweder unkritisch zu rezipieren, wobei er sich allerdings die Augen verbinden oder das Nachdenken ausschalten müßte, oder aber kritisch zu lesen und so der apostolischen Maxime Rechnung zu tragen: »Prüft alles, doch das Gute behaltet« (1 Thess 5,21). Das Markusevangelium ist im Sinne von 2 Kor 11,4 ein »anderes Evangelium« als das urapostolische.

3.3 Das Mißverständnis der Auferweckung Jesu als Wunder bei Markus

Der Stellenwert von Ostern ist in diesem Konzept ein anderer geworden. Ostern eröffnet nicht mehr universalgeschichtlich ein ontologisches Novum von Weltwirklichkeit, sondern ist bloß individual-geschichtlich der Abschluß des literarischen »Lebens Jesu«. Bei Mk 16,1–8 ohnehin auf die Engelerscheinung am leeren Grabe beschränkt, zeigt diese eine Szene nur die Erfüllung der Mk 8,31; 9,9; 9,31; 10,34; 14,28 von Jesus selbst gemachten Vorhersagen (16,7). Diese individualgeschichtliche Rückbindung an die hoheitlichen Voraussagen entkleiden Ostern seines entscheidenden Charakters eines Novum. Furcht und Unverständnis der Frauen Mk 16,8 schließen daran organisch an wie die entsprechenden Reaktionen auf die Vorhersagen in Mk 8,32f; 9,10; 9,32; 10,35ff; 14,29. Sie halten die Funktion der dramatis personae im Blick auf die Leserpragmatik also bis zum letzten Satz durch. Die Schlußszene des Buches entspricht der Anfangsszene, sofern die Engel nur ein anders gefärbtes Requisit sind, das aber dieselbe Funktion hat wie die himmlische Stimme in 1,11 (und 9,7 bzw. 9,4 Mose und Elia).[136] Wie die Engel so hat auch Mk erst das zeitgenössische Romanmotiv des leeren Grabes eingetragen[137], das Ostern beweisen soll[138] – aber eben ein Ostern, das nur die Erfüllung einer Vorhersage des wahrsagenden Jesus wie die Erfüllung der vier anderen Vorhersagen der Passionsgeschichte (Mk 11,1ff Reittierfindung, 14,12ff Saalfindung, 14,18ff Verrätervorhersage, 14,26ff Fluchtvorhersage) und damit eine bewußte Wundergeschichte ist. Das leere Grab bei Markus ist ein ungeeignetes Beweismittel für Ostern, weil es außerdem das Konkordanzpostulat verletzt, auf dessen Berücksichtigung 1Kor 15 offenbar Wert legte. Die markinische Osterlegende ist nicht nur darum kein »Auferweckungszeugnis«, weil es nicht von Osterzeugen stammt, sondern von diesen schon einen weiten zeitlichen Abstand hat, sondern vor allem auch keine »Osterbotschaft«, weil es Ostern im Lichte der eigenen Biographie und ihrer christologischen Konzeption neu verortet. Was Markus über Ostern sagt, läßt uns nur etwas über Markus erkennen aber nichts Neues über Ostern – ja sogar etwas Falsches und Sinnwidriges.

3.4 Das apokalyptische Verständnis des Evangeliumsbegriffs des Markus als Heilsplanenthüllung

Mit der Jesuanisierung und Literarisierung geht bei Markus auch noch eine Futurisierung des Evangeliumsbegriffes einher: Markus hat »*euaggélion* nicht nur historisch eingeordnet, sondern auch apokalyptisch interpretiert«[139]. Schon der direkte syntaktische Übergang der Überschrift Mk 1,1 in die Zitateinleitungsformel, wobei beide durch *kathōs* Mk 1,2 direkt verschränkt werden, macht deutlich, daß der markinische Begriff »Evangelium« semantisch neue Elemente erhält. Das erste Legitimationszitat dieses Buches tritt hier ja nicht im Munde seiner handelnden, erzählten Hauptperson, sondern im Munde des Buchautors selbst auf. »Evangelium« hat darum für Markus den semantischen Gehalt von »Heilsplanenthüllung«. Mk 1,1 f beginnt darum so: »Hiermit beginne ich die Darstellung der Heilsplanenthüllung von Jesus Christus, dem endzeitlichen Mitherrscher Gottes, weil Gott schon im Buch des Propheten Jesaja schriftlich ankündigen ließ...« Dies ist dann im Buch auch weiterhin präsent, weil Markus insgesamt 7mal diese Schrift verweisende Legitimationsformel für die Enthüllung des uranfänglichen Planes Gottes verwendet (nach 1,2 vgl. 7,6; 9,12 f; 11,17; 14,21.27). Synonym dazu ist das 6malige *deî* (es »muß« nach dem Plane Gottes so und so geschehen: 8,31; 9,11 (schon für Schriftgelehrte zitiert); (13,7.10.14; 14,31) und vor allem die dreizehnmalige Legitimationsformel »Amen ich sage euch« (3,28; 8,12; 9,1.41; 10,15.29; 11,23; 12,43; 13,30; 14,9.18.25.20).[140] Diese funktionsgleichen Knotenpunkte der Verflechtung der ganzen Buchkomposition machen deutlich, daß es um die Verwirklichung des umfassenden Heilsplans Gottes geht, der von der Taufe Jesu durch den Täufer über seinen Tod über die leidvolle Gegenwart der Gemeinde bis zum Erscheinen Jesu als Menschensohn-Weltenrichter läuft. Damit wird das Revelationsschema entfaltet und konkretisiert (Mk 4,11.21 f).

Die in Mk 1,14 f erscheinende Klammer gibt darum als Inhalt des »Heilsplanes (=Evangeliums) Gottes« den Aussagesatz von der nahegekommenen Gottesherrschaft aus Q-Lk 10,9.11

an, der dort in den Mund Jesu selbst in bezug auf sein eigenes Wort erscheint. So erscheint mk »Evangelium« als das mysterion der nahen Gottesherrschaft. Evangelium und Gottesherrschaft sind im mk Sinne eschatologisch aufeinander bezogen, so daß »Eschatologie« in diesem Konzept kein Antonym zu »Geschichte« darstellt, da die Geschichte Jesu bei Markus endzeitlich gedacht ist. Bei dem an diese Aussage Mk 1,15b angeschlossenen Imperativ in einem wiederum für ihn typischen Doppelausdruck (wobei das aus dem Q-Zusammenhang aufgenommene *metanoeîte* mit dem markinischen Zusatz Pisteuete gleichgesetzt wird) ist der bestimmte Artikel *(tó)* ebenso wie in den fünf folgenden Fällen betont anaphorisch (und also nicht etwa Kennzeichen eines sogenannten »absoluten Begriffs«): »Stellt euch auf *diese* Heilsplanenthüllung ein!«. Der Mk 1,15b metasprachlich erfolgten Objektnennung »dieses Evangelium« in Anaphora zu V.15a macht deutlich, daß für Markus »Evangelium« nicht Anrede ist, sondern Aussagecharakter hat. Der Ausdruck bezeichnet primär einen neuen und spezifischen semantischen Aussagegehalt, während erst der angeschlossene Imperativ die pragmatische Folge ausdrückt. Da damit zunächst auch noch keine soteriologischen Implikationen expliziert sind, ist die Wiedergabe von »Evangelium« bei Markus mit »Heils-Botschaft« und erst recht mit »Heilsangebot« oder »Heils-Anrede« semantisch unrichtig. Es geht vielmehr um den Inhalt und die Konzeption seines Jesus-Buches selbst.[141]

3.5 Das Fehlen der Konnotation einer »frohen« Botschaft bei Markus

Beim Gebrauch des Markus von »Evangelium« ist auch die Übersetzung »Frohe Botschaft« semantisch nicht sachgemäß. Daß die pragmatische Konnotation des »Frohen« geradezu ausgeschlossen ist, ergibt sich weniger daraus, daß außer Jesu Taten und Worten auch sein Leidens- und Todesweg wesentlich von Anfang an darin eingeschlossen sind und dies alles als

Anfang der Verwirklichung des entschlüsselten Heilsplans gilt, die in der nahen Parusie gipfelt, denn daraus ließe sich zunächst nur das Vorherrschen der lokutionären Aussagefunktion ablesen; es ergibt sich vielmehr daraus, daß Mk 14,11 das Verb *chaírein* als Hapaxlegomenon nur in negativer Hinsicht einbringt: »Freuen« wird nur einmal erzählt im Hinblick auf das Auslieferungsangebot des Judas an die Feinde Jesu. Dasselbe gilt vom ebenfalls nur einmaligen Gebrauch des Nomens Mk 4,16: Diejenigen, die »dieses« Evangelium (hier synonym mit *lógos* ausgedrückt) etwa gerade als »Frohe« Botschaft – also *metà charâs* – annehmen, sind gerade darum suspekt, weil sie diese »Einstellung« dann nicht durchhalten. Houlden hat richtig registriert: »Bei Mk ist diese Botschaft bemerkenswerterweise gerade nicht mit sorgenfreier Freude verbunden.«[142] Dieser Sachverhalt bestätigt den anderen, daß für Markus nicht das »Evangelium«, wie er es meint, als solches heilsvermittelnd ist. Ausdrücke mk Soteriologie sind mit dem Ausdruck »Evangelium« bei ihm nicht verbunden, sondern werden hier wie bei Paulus assoziativ aus Lukas und seinem Konzept erst hineingelesen.

3.6 Das Revelationsschema als entscheidender Faktor der Umcodierung des Markus

Bestimmend ist bei Markus vielmehr das Revelationsschema. So wundert es auch nicht, daß dieser Autor, nachdem er 1,14 f »Evangelium« mit »Gottesherrschaft« gefüllt verbunden erwähnte, in 4,11 wiederum mit anaphorischem Artikel »dieses Mysterion« – also »dieser bisher verborgene Heilsplan« – sagen kann und dies dann nachträglich, erst nachdem das Verb des Satzes schon gefallen ist, durch den Genitivzusatz »Gottesherrschaft« inhaltlich füllt. Weil für Markus »Evangelium« das enthüllte, bisher verborgene Mysterion der nahen Gottesherrschaft ist, taucht dieser Terminus auch nicht zufällig in Mk 4 auf. Dieses Kapitel ist als »Gleichniskapitel« zu formal und zu unpräzis klassifiziert. Eine solche Kennzeichnung kann höchstens für die zugrundeliegende Sammlung gelten. Für den Redaktor Markus ist sie ebenso Endzeitrede wie Mk 13: Sie ist inhaltlich wesentlich auf die nahe Vollendung der Gottesherrschaft (d. h. bei Markus: des Heilsplans) bezogen, die sich planmäßig aus den kleinen Anfängen Jesu entwickelt. Die dort vorliegende starke Allegorisierung steht im Dienste des Mysterionkonzepts des Markus, denn dies dient ja zugleich nach Mk 4,11 f zur Verstockung der Nichteingeweihten!

Aus der offenkundigen Bestimmtheit durch das Revelationsschema resultiert bei Markus das Verständnis von »Evangelium als Mysterion« wie in dem entsprechenden apokalyptischen Botschaftsbegriff.[143] Damit ist jetzt deutlicher, daß nicht die Messiasgeheimnistheorie als »hermeneutische Voraussetzung der Gattung Evangelium« anzusprechen ist[144], sondern daß dies eine Folge des Revelationsschemas bei der biographischen Verwendung und Gestaltung durch Markus sein mußte.[145] Von daher versteht sich, daß das damit verbundene Jüngerunverständnis, das Mk 6,52 zuerst direkt als Verfasserkommentar und danach erst 8,17 f in gleichlautender direkter Rede seiner Jesusgestalt formuliert ist, nach 9,9 f bis nach Ostern anhalten wird. Man könnte von daher auf den Gedanken kommen, daß Ostern für Markus, wenn schon keine ontologische so doch wenigstens eine noetische Bedeutung hätte. Doch damit würde man wiederum ein lukanisches Konzept in Markus einzeichnen. Vielmehr zeigt die Tatsache des ausdrücklichen Verfasserkommentars in 6,52 und analogen Stellen (von dem Legitimitätszitat des Verfassers 1,2 f an), daß Markus noetisch auf etwas anderes hinausgeht: Er, der allwissende Autor dieser Jesusbiographie, kennt das »Geheimnis«, den Heilsplan und er ist es, der ihn enthüllt. Dann aber ist die auf Jesu eigene Verstockungsklage über seine Schüler Mk 8,17 f folgende und zweifellos allegorisch gemeinte zweistufige Heilung des Blinden von Bethsaida Mk 8,22–26[146] nicht etwa als eine Hoffnung auf Jesu nachösterliches endgültig erleuchtendes Handeln zu deuten, sondern vielmehr auf Jesu erleuchtendes Handeln durch den Autor dieses Buches selbst. Man kommt also nicht um die Feststellung herum: Ganz »sicher haben die Evangelien und die späteren christologischen Kontroversen die Gestalt Jesu als flexibles Symbol behandelt, durch das sie ihre eigenen spezifischen Anliegen zum Ausdruck brachten.«[147] Die umgreifende Konzeption macht die Frage dringlich, ob man bei Markus semantisch beschreibungsadäquat noch von »Einsetzungs-Sohnschaft« oder schon – wie bei den synoptischen Großevangelien – von »Offenbarungs-Sohnschaft« sprechen muß.

3.7 Kritik: Die Trivialisierung des Evangeliumsbegriffs seit Markus

Bezieht man in die Beobachtungen dieser Jesusbiographie noch die Rolle der Antagonisten Jesu vom ersten Streitgesprächskomplex Mk 2,1–3,7 an ein, so wird das Urteil über das Evangeliumskonzept des Markus noch kritischer ausfallen müssen. Bei diesen Kontroversen wie bei den späteren in Mk 12 ist schon die Bezeichnung »Streitgespräche« eigentlich euphemistisch, denn die Antagonisten stehen nie als ebenbürtige Streitgegner, sondern nur als Graufolie, die Jesus schon von 3,6 an töten wollen, die nichts anderes als die bösen Weingärtner von Mk 12,1ff sind und bei denen Jesus nach 4,11f nur Heilsplanuneinsichtigkeit wecken will, damit sie ihn plangemäß und nicht an einem Termin und auf eine Weise töten, die sie bestimmen. Die Christologie des Markus ist zu einem guten Teil nur das Spiegelbild seines Antijudaismus.

Nimmt man die Kriterien an, die die Arbeitstagung des ÖRK über »Rassismus in Kinder- und Schulbüchern« im Oktober 1978 in Arnoldshain entwickelt hat, so ist man sicher gut beraten:

1) »Einseitige Bestätigung der Werte und Verhaltensweisen einer Gruppe zum Nachteil der anderen;
2) Tendenzen, das Bild der anderen Gruppe herabzuwürdigen;
3) Argumente, die die Ordnung und die Beziehung zwischen den Gruppen erklären und rechtfertigen.«[148]

Will man nicht mit zweierlei Maß messen und von solchen Kriterien die »Evangelien« von vornherein ausnehmen – und dies aus unparteiischer Redlichkeit und nicht nur, weil diese Jesusbiographien ja auch bevorzugter Unterrichtsgegenstand kirchlicher Lehre sind –, dann ist ein Erschrecken unvermeidlich: Was kann bei einer Sozialisation mittels solcher internalisierter Texte anderes herauskommen als Selbstgerechtigkeit und Vorurteile? – so muß man sich fragen.

Kommt man vom apostolischen Evangeliumsbegriff her, so kann man das mit Markus einsetzende Konzept kaum anders denn als Trivialisierung bezeichnen. Dabei wird ein exakter Begriff von Trivialliteratur zugrunde gelegt, der Vorwertungen ausschließt und sich auf eine konsequente Funktionsanalyse stützt:

»Trivialität ist nicht das Wesen von Unterhaltungsliteratur, sondern Stigma ihrer Ideologisierung. Trivialität gründet weniger auf dem Vorhandensein von Ideologien – das hieße, die Dichtung von Ideologien freizusprechen – als vielmehr auf der propagandistischen Verwertung von literarischen Mitteln, um unter Umgehung der Ratio Ideologiekonformität zu erreichen.«[149]

Dieser heutige literaturwissenschaftliche Begriff von »Trivialliteratur« ist also klar ideologiekritisch definiert.

Der Weg vom apostolischen zum nachapostolischen Konzept von »Evangelium« ist nicht einfach der einer bloß formalen Literarisierung und Jesuanisierung, sondern zeigt eine so weitgehende pseudosemantische Entwicklung, daß diese Verschiebung vom apostolischen zum nachapostolischen Basisaxiom zugleich in pragmatischer Hinsicht der qualitative Sprung von der apostolischen Theorie zur nachapostolischen Ideologie ist. Wissenssoziologisch ist wichtig, daß beides klar differenziert wird:

Theorie ist der Versuch objektiver Erkenntnis der Wahrheit, der in logischer Syntax des Evangeliums das theo-logisch Gültige evangelio-logisch bestimmt nach den aus den Kalkülen sich ergebenden Algorithmen. Ideologie ist popularisiertes Bewußtsein in Anpassung an Gegebenheiten, wie in der Tatsache, daß die sogenannten »Evangelien« alle Mittel der zeitgenössischen Heroen-Biographie übernehmen. Dieser Weg ist der Abfall vom Evangelio-logischen zum Evangelikalen, der derzeit in den Kirchen Konjunktur hat. Man mag sich dabei auf seine besonderen »Erfahrungen« berufen, die man für »geistlich« hält. Wenngleich das wohl subjektiv stimmen mag, so ist doch zu bedenken, daß »Erfahrung« meist nur als Ersatz für mangelndes Wissen und mangelnde Bildung fungiert. Man täusche sich nicht:

> »Die großen Lügen
> haben gar keine
> kurzen Beine.
>
> Ihre Beine
> wirken nur kurz
> weil ihre Arme
> so lang sind.
>
> Die Arme
> der großen Lügen
> reichen so weit
> daß sie der Wahrheit
> Beine machen können
> oder Gebeine.«[150]

4. Matthäus

4.1 Die Weiterführung und Überbietung der markinischen Tendenz bei Matthäus

Auf dem von Markus eröffneten Weg ist Matthäus ihm gefolgt. Mit seiner viermaligen Verwendung des Lexems »Evangelium« ist er von Markus abhängig (Mt 4,23 ist aus Mk 1,14f versetzt übernommen, weil Mt 4,17 die Inhaltsangabe konsequent redaktionell mit dem Inhalt der Täuferbotschaft Mt 3,2 und der Jüngerbotschaft 10,7 parallelisiert und identifiziert; Mt 9,35 ist bewußt rahmende Parallelbildung zu Mt 4,23; Mt 24,14 par Mk 13,10; Mt 26,13 par Mk 14,9). An den ersten drei Stellen hat Matthäus eine redaktionelle Näherbestimmung durch absolutes *tēs basileías* getroffen, worauf auch der Zusatz des Demonstrativums an der letzten Stelle (und schon 24,14) anaphorisch zurückweist (vgl. synonym Mt 13,19 *lógos tēs basileías* und 13,11 *mystería tēs basileías*). Da Matthäus von seinen 50 terminologischen *basileía*-Stellen (unterminologisch sind daneben 4,8; 12,25f; 24,7a.7b) nur 15 von Markus und 10 von Q übernommen hat, so erscheint die verbleibende Hälfte auch aus speziellen Gründen des Sprachgebrauchs an den betreffenden Stellen als redaktionell. Dieses Syntagma bezeichnet bei Matthäus nicht Gottes künftige Alleinherrschaft, sondern die Nähe Gottes in Jesus (Mt 1,23). Sein Konzept vom »Sohn Gottes« ist grundlegende Voraussetzung[151]: Die ganze Jesusbiographie des Matthäus ist sein »Evangelium von der Gottesherrschaft«[152]. Nach der heilsgeschichtlichen Konzeption des Matthäus umfaßt die »Zeit Jesu« die Zeit von seiner Geburt bis zu seiner Parusie. Eben darum haben der Täufer (3,2; 11,12), Jesus (4,17 als zentrale Überschrift des ersten Buchteils[153]) und seine Schüler (10,7) – doch nicht nur diese drei, sondern eben auch die Kirche seiner Gegenwart (24,14; 26,13 vgl. 21,43) die gleiche Botschaft: Eben die dieses Buches (Täufer, Jesus, Jünger – diese drei, doch

Matthäus ist der Größte unter ihnen). Durch den Mund des Auferweckten wird 28,18 f am Schluß nichts anderes als dieses Buch selbst als verbindlich erklärt. Damit ist das neue Syntagma des Matthäus, da es ohnehin als metasprachliche Bezeichnung in den Summarien 4,23 = 9,35 erstmalig auftaucht, nur die erinnernde Wiederaufnahme und Weiterführung der in 4,17 in wörtlicher Rede gegebenen Gesamtüberschrift. Diese »Herrschaft Gottes in Jesus« setzt sich (anders als bei Paulus) auch nach der Parusie fort (16,28; 25,31 f; nachösterlich 13,41 als Herrschaft des Menschensohns).[154]

Dem veränderten »Evangeliumsbegriff« entspricht auch ein veränderter »Sohn-Gottes-Begriff«[155]: Matthäus beginnt ja nicht mit der Taufe Jesu, sondern mit der Jungfrauengeburt. Jesus ist schon »Sohn Gottes« von dieser Geburt an durch einen speziellen Akt Gottes (1,16 b; 2,15) und hat darum seinen Ursprung in Gott. Gegenüber Markus ist die Taufe Jesu nicht mehr als Einsetzung in die Sohnschaft verstanden. Konsequent wird darum die Anrede bei Markus aus der zweiten Person in die dritte Person (Mt 3,17) geändert: Der Täufer ist der Adressat. Ihm wird bestätigt, daß er mit diesem Jesus (3,2) auf dem richtigen Wege ist. Im Revelationsschema kommt es so konsequent zum Konzept einer »Revelations-Sohnschaft«.

4.2 Das gesteigerte Mißverständnis der Auferweckung Jesu als Wunder bei Matthäus

Ebenso deutlich sind die Auswirkungen auf einen veränderten Oster-Begriff: Der Sohn Gottes, der er immer schon vorösterlich war, bleibt er auch nachösterlich. Matthäus geht es nur um die Kontinuität dieses »Bleibens«. Die »Macht«, von der Mt 28,18 spricht, ist die gleiche, die sein Jesus nach 11,27 schon irdisch hatte. Das sieht nach Mt 13,16 schon die Schülerschaft dieses Jesus. Mit der Tilgung der negativen Jüngerzüge fällt vor allem auch das Jüngerunverständnis weg. Bei Matthäus fehlt im deutlichen Unterschied zu allen anderen drei Jesusbiographien jeder Hinweis darauf, daß wahres Verstehen Jesu erst später geschah. Eine Spannungserzeugung wie Lk 9,45; 18,34 auf Lk 24,31.35.45 f hin fehlt ebenso wie Aussagen, die Joh

2,22 ; 12,16 ; 16,4 hat.[156] Anfang und Schluß dieser tritopetrinischen Jesusbiographie entsprechen sich, indem Ostern der Schluß eines Lebens ist, das eben mit der Jungfrauengeburt einsetzte. Wie der Neugeborene schon todesbedroht ist und gerettet wurde, so wiederholt es sich noch einmal. Mt 1–2 entsprechen auch darin Passion und Ostern. Ostern hier ist nur ein zusätzlicher Wunderbeweis nach vielen anderen. Hier findet sich massiv das bis heute verbreitete Mißverständnis der Auferweckung Jesu als ein Wunder endgültig inauguriert. Matthäus ist kein Theologe der Auferweckung, sondern ein Ideologe des Wunderbeweises des leeren Grabes. Für Matthäus gilt gerade nicht, daß die Auferweckung Jesu »messianische Hoheit nicht nur unterstreicht, sondern letztlich erweist«[157]. Wohl ist die Steigerung der Rolle des leeren Grabes durch die Grabeswächterlegenden Mt 27,62–66 ; 28,2–4.11–15 unverkennbar. Für Matthäus »steht und fällt« die Auferweckung Jesu »mit dem leeren Grab«[158]. Doch ist dies nur ein neues und letztes Mittel, um das zu tun, was er schon das ganze Buch hindurch tut, jede Gelegenheit zu benutzen, um »Israel als Einheit des Bösen« darzustellen.[159] Darum wird ja auch das Jonazeichen-Logion Mt 12,39 f nicht nur auf die Auferweckung Jesu hin allegorisiert, sondern schon dort als ein Zeichen gegen sie gewertet. Gerade diese allegorisierende Behandlung des Jonazeichens klärt, in welchem Sinne das leere Grab bei Matthäus in den Vordergrund gerückt ist : Es ist ein von Jesus vorhergesagtes Wunder. Wie wenig spezifisch die Auferweckung für Jesus selbst ist, ergibt sich weiter daraus, daß Mt 27,51–53 schon beim Tode Jesu eine Auferweckung der Heiligen stattfinden läßt.[160] Angesichts dieser Gegebenheiten ist es selbst bei gutem Willen nicht möglich, von einem »Osterzeugnis« und einer »Osterbotschaft« des Matthäus zu sprechen. Der Grad der Trivialisierung hat sich gegenüber Markus noch gesteigert. Was uns Matthäus über Jesus einschließlich Ostern sagt, läßt uns nur etwas über Matthäus selbst erkennen. Die von seiner Darstellung unweigerlich heraufbeschworene Sachkritik wird sich auch gegen seinen Evangeliumsanspruch richten müssen.

5. Lukas

5.1 Der Anspruch des Lukas auf den Grundlagenwert seiner Jesuskonzeption

Auch Lukas folgt dem antiken Heroen-Biographie-Konzept des Markus. Wenn er erstaunlicherweise alle »Evangeliums«-Stellen dennoch wieder ausschaltet, so mag das mit seiner speziellen Biographie-Konzeption eines Doppelbandes, der die Frühgeschichte der Schüler noch mit einschließt, sowie mit seiner anderen Konzeption von Heilsgeschichte zusammenhängen. Immerhin erhebt er nach seiner Bucheröffnung Lk 1,1–4 klar einen Anspruch auf Grundlagenwert. Wie Matthäus setzt auch Lukas mit der Jungfrauengeburt (1,26 ff) ein, so daß der Leser wiederum von Anbeginn in der Wunderwelt steht. Der Hauptteil setzt Lk 4,16 ff so ein, daß sein Jesus sich selbst und das Programm seines Wirkens ausführlich vorstellt. Hier fallen die aus Mk 1,14 f versetzt übernommenen Verkündigungstermini und werden inhaltlich klar soteriologisch gefüllt. Der lukanische Jesus stellt sich als Retter der Armen und Befreier der Gefangenen vor. Inhalt des verkündeten lukanischen »Reich Gottes« ist zentral das Prinzip von Reue und Vergebung (4,18 im Verhältnis zu 23 und die Entfaltung von 5,1 ff im Verhältnis zu 6,20), das die Hoffnung auf einen positiven Gerichtsspruch im Weltgericht eröffnet. Für eine solche Selbsteröffnung ist Jesus kurz zuvor inspiriert worden: Auch hier muß ja die Taufe Jesu wegen der Jungfrauengeburt (1,32 f,35) gegenüber Markus umgedeutet werden. Bei Lukas findet das Entscheidende nicht bei, sondern nach der Taufe statt und zwar als Antwort auf ein Gebet Jesu, das Lukas einfügt. Lk 3,21 f versteht die Himmelsstimme nicht mehr als Adoption, sondern als Inspiration (vgl. 4,1.14.18). Das Wirken dieses Epiphaniejesus durch Epiphaniewunder findet seinen Höhepunkt und Abschluß in dem Speisungswunder Lk 9,10–17, dem Bankett des wundertätigen Jesus für seine Anhänger als dem messianischen Epiphaniewunder schlechthin.[161] Lk 9,18–20 gehört an Stelle eines Chorschlusses integral zu dieser Speisung dazu: Petrus spricht als Sprecher der Schüler die bis dahin gewachsene Jüngererkenntnis aus: Gott hat Jesus als Messias legitimiert (wie bei Matthäus so ist es auch bei Lukas kein »Bekenntnis« mehr).

5.2 Die lukanische Reduktion der Bedeutung der Auferweckung Jesu auf eine rein noetische Funktion

Für den lukanischen Epiphaniemessias ist sein Leiden ein zu lösendes Problem, nicht aber Ostern. Mit Lk 9,22 setzt denn auch die ständig wiederholte Leidensbelehrung ein, die den zweiten Buchteil bestimmt. Die Verklärung Lk 9,28 ff fungiert als himmlische Bestätigung des weiteren Weges Jesu, der durch Leiden zur Herrlichkeit der Himmelfahrt führt (9,31). So ist Lukas auch »der einzige Evangelist, der mit einer Leidensankündigung Jesu (Lk 18,31–33; cf. Mk 10,32; Mt 20,17–19) das Motiv der Schrifterfüllung verbindet.«[162] Abgesehen von der programmatischen Schrifterfüllung, mit der 4,16 ff den ersten Buchteil einleitet, kreisen die lukanischen Erfüllungszitate im Unterschied zu Matthäus um Passion und Ostern und die zugeordnete Verstehensfrage der Anhänger Jesu. Dieser Jesus ist fortlaufend bemüht, Einsicht in die Planmäßigkeit des Leidensweges zu wecken. Lk 24,25–27 faßt Jesus rückblickend dieses Programm nochmals zusammen. Daß er 24,35 am »Brotbrechen« erkannt wird, ist ein Rückverweis auf den Höhepunkt der Epiphaniewunder des ersten Buchteils. So ist Ostern für Lukas wesentlich das Aufleuchten der himmlischen Herkunft eines irdischen Wesens, das zu seiner Anerkennung führen soll. Ostern hat für Lukas aufgrund seiner hoheitlichen Christologie des Irdischen wesentlich noetischen Charakter (so leider auch Karl Barth, Kirchliche Dogmatik). Es ist kein ontologisches Novum mehr. Wie bei Matthäus hatte der Irdische schon alle Hoheitsprädikate. Mit dem Abschluß der lukanischen Himmelfahrt gehört die Auferweckung Jesu noch individualgeschichtlich zum Leben Jesu. Alle drei Abschnitte von Lk 24 haben übereinstimmend in ihrem Zentrum diese Aussage, daß der Auferweckte rückblickend den Heilsplan enthüllt, daß das Leiden notwendig war, um die Herrlichkeit der Einsetzung zum künftigen himmlischen Weltenrichter zu erreichen (Lk 24,6–9 als erste Erinnerung durch die Engel an die Frauen, dann V.25–27 vor den Emmausjüngern wiederholt und V.44–49 schließlich endgültig). Der schon auf Erden bewunderte Heros muß durch die Tragödie hindurch (vgl. die Vielzahl der Tränen der bei Lukas wirklichen »Passion«). Der lukanische Auferweckte ist massiver gezeichnet als in den anderen Biographien (Lk 24,42 f ißt er sogar). Das entspricht der lukanischen Darstellungsart im ganzen, die mehr auf Bewunderung als auf Einsicht zielt – auch in der Realisierung der notwendigen passiven Phase des göttlichen Plans. Ostern ist die willkommene Überwindung und Umkehrung des tragischen Todes.[163] Die Auferweckung hat ihn als den planvoll legitimierten Gottessohn bestätigt. Vor den beiden Emmaus-jüngern geschah die vorbereitende, vor dem größeren Jünger-kreis Lk 24,36 ff dann die endgültige erkenntnisweckende Epiphanie. Gerade die geschickte Inszenierung durch Lukas verbietet es, im Ernst von einem lukanischen »Osterzeugnis« zu sprechen. Die meist für das Neue Testament insgesamt aufgestellten zusammenfassenden Beschreibungen gelten bei Lichte besehen so nur für Lukas: »Das von Jesus gebrachte(!), in den Stationen (!) seiner Sendung(!) verwirklichte und von Aposteln auf Grund(!) der(!) Osterereignisse verkündigte Evangelium.«[164] Wird dieser Begriff von Evangelium zum Maßstab gemacht, dann muß man sich darüber im klaren sein, daß man damit nicht einen apostolischen, sondern den spezifisch lukanischen Ansatz zum theologischen Kriterium macht.

5.3 Die unüberbrückbare Differenz zwischen dem lukanischen und dem urapostolischen Wortfeld »Evangelium«

Davor aber muß gewarnt werden, wie schon auf den ersten Blick ein Vergleich der unterschiedlichen Wortfelder zeigt:

Apostolisch sind »Evangelium« und »Apostel« Komplenyme in bezug auf das Osterereignis als weltgeschichtliches Novum. Paulus ist Apostel als Osterzeuge. Für Lukas sind die Zeugen von der Taufe Jesu an – also der Zwölferkreis »Apostel«, was durch eine Apg 1,15 ff nötige Nachwahl noch nachdrücklich unterstrichen wird. Es ist aber der jungfrauengeborene, heilsplanerfüllende Epiphaniemessias lukanischer Darstellung, der bezeugt wird, Paulus ist kein Osterzeuge. Evangelium ist für Lukas im wesentlichen das Prinzip von Reue und Vergebung, das es legitim nur bei Jesus gibt. Im Zusammenhang mit dieser Soteriologie wird bei Lukas das Bild der »Sünder« und der Antagonisten Jesu überhaupt zu starren Rollen, einem typischen Merkmal der Ideologisierung. Paulus wird in das Bild der von Lukas als mord- und geldgierig gezeichneten Pharisäer eingereiht. Dagegen war das vorchristliche Bild des Paulus nach Gal 1, Phil 3 und 1Kor 15 ein anderes. Aussagen von der »Vergebung«, wie sie in der lukanischen Soteriologie maßgebend sind, kann Paulus nur dulden. Was Ostern geschehen ist, ist die Entmachtung und Entthronung der »Königin Sünde«. Paulus denkt weniger eine »Sündenvergebung« als eine »Sündenvernichtung«, weil er von Ostern her denkt.[165] In der von Ostern her entworfenen Hoffnung des Paulus ist Röm 9–11 für Israel offen. Bei Lukas wird nicht nur wiederholt verkürzend immer wieder behauptet, »die Juden« hätten Jesus getötet, sondern sein Doppelwerk schließt auch Apg 28,23 ff mit dem Ausschluß jeder Hoffnung für Israel. All diese und weitere Konzeptionswidersprüche lassen sich nicht harmonisieren.

6. Johannes

6.1 Das Konzept der Sendungsbiographie bei Johannes

Auch das vierte Evangelium nennt sich im Gefolge des Lukas nicht selbst »Evangelium«. Substantiv wie Verb werden vielmehr vollständig vermieden. Dennoch bleibt die Biographie-Struktur klar erhalten, wenngleich sie von der veränderten Konzeption her als »Sendungs-Biographie« klassifiziert werden muß: Wurde bei Markus das Konzept der Einsetzungssohnschaft variiert, so wurde hier das weisheitsmythische Konzept der Sendungs-Sohnschaft bestimmend.

Ist der Prolog (Joh 1,1–18) in seiner vorliegenden Gestalt die gezielt gesetzte Lektüreanweisung zu dieser ganzen Jesusbiographie, die von Anfang an die entscheidende Lesehilfe geben will[166], so dürfte schon die Herkunft des Prologs ein entscheidendes Indiz für den Grund für die wesentlichen Unterschiede dieser Biographiekonzeption von den synoptischen Ausformungen liefern: Nach wie vor verdient die von Baldensperger auf Grund der Prosaglossen (Joh 1,6–8.15) mit ihrer Täuferpolemik vorgeschlagene These, daß das zugrundeliegende Traditionsstück (»Lied«?) ursprünglich ein Stück war, das Täuferschülern verdankt wird, die darin ihren Meister als die auf Erden erschienene Weisheit (= Geist) Gottes, die Leben und Licht gibt, verehrten.[167] Das kann um so weniger als ausgeschlossen gelten, als schon Philons Mose-Biographie seinen Mose als inkarnierten Logos zeichnet.[168] Angesichts eines analogen messianischen Verständnisses des Täufers durch seine Anhänger (Lk 3,15; Apg 13,25; Joh 1,8.20.21; 3,28; Ps-Clem.Recogn 1,60) ist es zweifellos verständlich, daß für gewisse christliche Kreise das synoptische Jesusbild unter einem solchen Zugzwang überboten werden mußte. So bilden gerade die antitäuferischen und polemischen Prosa-Einschübe des Prologs diesen zu einer instruktiven Lektüreanweisung für das ganze Buch.

Sieht man als dessen Materialgrundlage wesentlich eine Sammlung von sogenannten »Predigten« an[169], die man wegen der Besonderheit ihres Stils wie ihrer Konzeption als »johanneische Predigten« bezeichnen kann, so läßt sich wohl zeigen, daß diese direkt und konkret als Meditationen zu synoptischen Texten entstanden sind.[170] Diese besondere Art der Verwendung der Synoptiker ist geeignet, das Schwanken der Forschung zwischen Bejahung und Verneinung der Frage einer literarischen Abhängigkeit von den Synoptikern zu lösen. Die Auswahl und Zusammenstellung johanneischer Meditationen zu synoptischen Texten ergab ein Lesemysterium in Biographieform, das so die besondere Art seines Grundlagenanspruchs auf Schritt und Tritt vertritt. Zur Lektüreanweisung des Prologs treten vor allem im Zentrum des Buches die abschließende Offenbarungsrede Joh 12,44–50 sowie an seinem Ende der Epilog Joh 21,1–25 in einen besonders engen Struktur- und Funktionsbezug. Als vierter »Evangelist« hat nach der Analogie der drei anderen Jesus-Biographien dann primär eben dieser abschließende Buchredaktor zu gelten.[171] Von diesem literarischen Werk als Ganzheit wie seiner literarischen Abhängigkeit von den Synoptikern her geurteilt, dürften die »johanneische Entwicklungslinie« und der »johanneische Kreis« nicht als gleichursprünglich mit dem urapostolischen Kerygma oder der Jesustradition überhaupt gelten[172], sondern sein frühest erkennbarer Einsatz des Weisheitsmythos liegt erst in der Q-Redaktion (Q-Mt 11,27) vor[173], so daß die Differentia spezifica des johanneischen Konzepts in einer gegen den Täufer bezogenen Verabsolutierung des weisheitsmythologischen Ansatzes der Q-Redaktion auf seine Jesus-Gestalt hin besteht.

Wenngleich Johannes seinen Anspruch auf Grundlagenwert also im Gefolge des Lukas nicht mehr mittels des Evangeliums-Terminus zur Geltung bringt, so ist dieser Anspruch doch – und zwar analog zur Pseudo-Petrinik des Matthäus – pseudepigraphisch mittels der zusammenhängend zu sehenden Lieblingsjüngerstellen (von 1,40 über 13,23 bis 21,23 ff) auf andere Weise dennoch zur Geltung gebracht. Es kann nicht verwundern, daß derjenige spätnachapostolische Autor der dritten Generation, der seine Dogmatik in der Form eines Lebens Jesu darstellte – sozusagen als typischer Vertreter des Prinzips einer »Narrativen Theologie« –, dann eben auch zwangsläufig sich selbst mittels eines entsprechenden Würdenamens »Offenbarungsmittler« (da »Lieben« im weisheitlichen Konzept »Offenbaren« meint, »Lieblingsjünger« in unvollständig konkordanter Rohübersetzung) in dieses Leben Jesu zurückprojiziert: »Der Lieblingsjünger, der unter der Herrschaft und mit der Autorität des erhöhten Herrn gewirkt hatte, wird auch durch sein Verhältnis zum historischen Jesus ›legitimiert‹.«[174] Dieser »vom Geist-Parakleten inspirierte, deutlich nach dem Vorbild der Parakletverheißung gezeichnete Lehrer« ist »als solcher zugleich der Inbegriff des wahren Jüngers und Zeugen.«[175] Damit ist der Buchschluß Joh 21,24f in der Tat als »das Imprimatur des johanneischen Kreises« anzusprechen, das als solches »ein Stück partieller und lokaler Kanonbildung« ist.[176]

6.2 Johanneisches »Glauben« als Vollzug des Lesemysteriums

In dieser evangeliumsharmonistischen Synoptikermeditation ist deutlich das 96mal im spezifischen Sinne verwendete Verb *pisteúein* ein Leitbegriff. Daß dabei durchgehend (nur 14,1 Gott) die Person Jesu, die natürlich im johanneischen Sinne verstanden ist, zum bestimmenden Objekt dieses Verbs geworden ist, ist ein Novum. Kennzeichnend ist ebenso, daß das urapostolisch dominierende Substantiv nie verwendet ist. Schon an der rein verbalen Verwendung wird deutlich, in wie starkem Maße das Lexem hier ganz ein menschliches Handeln bezeichnet, was durch die Synonyme noch unterstrichen wird (hören, erkennen, kommen zu, nachfolgen, bleiben, lieben usw.). Das johanneische »Glauben« meint die sich anvertrauende Bindung an den joahnneisch verstandenen »Jesus« als den gesandten Gottessohn in seiner Menschengestalt.[177]
Die ständig wiederholte und variierte »soteriologische Grundformel« dieses Buches in ihrem konditionalen Relativsatzgefüge verspricht allein diesem menschlichen Handeln das johanneisch verstandene »Leben« (Joh 3,36). Dieses bedingende Verheißungswort scheint auf den ersten Blick dem paulini-

schen Syntagma von der »Gerechtmachung auf Grund der *pístis*« zu entsprechen; doch das gilt nur hinsichtlich der syntaktischen Oberflächenstruktur – keinesfalls aber auch in der semantischen Tiefenstruktur: Während Paulus mit dem Substantiv das im Glaubensinhalt beschriebene konkrete Handeln Gottes meinte und nicht ein bestimmtes menschliches Verhalten, bezeichnet Johannes mit dem Verb aber eben gerade ein solches. Paulinisch geurteilt fällt die soteriologische Grundformel des Johannes unter die unmögliche Gerechtmachung aus den Werken. Auch das Verheißungswort der soteriologischen Grundformel bleibt der Denkstruktur des gnostischen Entscheidungsdualismus verhaftet. Man kann nicht dagegen einwenden, daß Johannes sein »Glauben an Jesus« als gottgegebene Ermöglichung betont (1,13; 3,3 ff; 6,37 ff), weil er auch hierin nicht dem mit seinem Substanzdenken (»Sein aus«) gesetzten Determinismus entronnen ist (6,44 ff; 8,43 ff: nur die Lichtweltteile entzünden sich!). Der vielleicht respektable Versuch des Johannes, seine gefährdete Gemeinde am Glauben-Bleiben (Joh 20,31 Präsens!) zu halten, ist mit dieser gefährlichen Hypothek seines Konzepts behaftet. Das Glaubensverständnis unserer kirchlichen Denktradition ist sicher stärker an Johannes als an Paulus orientiert gewesen.

Lührmann, der für das Frühchristentum wie für dessen jüdische Vorgeschichte durchgehend mit einem ganz bestimmten Glaubensbegriff arbeitet, der semantisch durch die Vermittlung des Widerspruchs zwischen tradiertem Bekenntnis und gegenwärtiger Erfahrung bestimmt sein soll, sieht sehr wohl, daß das johanneische Credo in dem zentralen Buchkonzept von der Sohnsendung durch den Vater besteht.[178] Indem das »Glauben« hier nun in dieser ganz spezifischen Christologie aufgegangen ist, »kann die Erfahrung dieser Welt« nur »als Erfahrung einer bereits verlassenen Welt« bestimmt werden.[179] Ob damit allerdings die Chance gesetzt ist, »den Bereich der konkreten Welterfahrung zu erweitern«[180], muß bezweifelt werden, da diese Bewertung eher dem Mut der Verzweiflung unter dem Zwang nach einem positiven Schluß entspringt als einer überzeugenden Problemlösungsstrategie.

Ist das johanneische »Glauben« (=»annehmen« 1,12; 3,33) das Akzeptieren des johanneischen Mythos, so heißt die semantische Definition viel eher: »seine unirdische Fremdheit akzeptieren und dadurch eine unirdische Gemeinschaft mit ihm bilden«[181]. Das konkretisiert sich dann in soziologischer Hinsicht so: »Zum Glauben an Jesus kommen, bedeutet für die johanneische Gemeinschaft einen Wechsel in der sozialen Situation. Bloßer Glaube ohne den Anschluß an die johanneische Gemeinschaft, ohne den entscheidenden Bruch mit der ›Welt‹, speziell der Welt des Judentums, ist eine teuflische ›Lüge‹.«[182] Damit werden auch die Aussagen über verschiedene Stufen im johanneischen Glauben wie über die Mißverständnisse faßbar, die nicht missiologisch gemeint sind, sondern sich auf Auseinandersetzungen zwischen verschiedenen christlichen Gruppen beziehen: »Glaube an Jesus meint im 4. Evangelium ein Verlassen der Welt, weil es den Übergang in eine Gemeinschaft bedeutet, die totalitäre und exklusive Ansprüche erhebt.«[183] Man wird Mitglied dieser Gemeinschaft, indem man dieses Buch liest und sich durch das Labyrinth seiner Kreuz- und Quer-Worträtsel hindurch als ein immer mehr verstehender Insider erweist oder eben als einer, der in der Finsternis-Welt klebengeblieben ist. Indem »Glauben« in der Annahme der Buchkonzeption besteht, ist es letztlich identisch mit der Annahme dieses Lesemysteriums selbst.[184]

6.3 Die systembedingte johanneische Umdeutung der Auferweckung Jesu zu seiner Rückkehr in das vorweltliche Präexistenz-Leben

Mit der Passion zusammen, in der auch der johanneische Jesus durchaus nicht passiv erscheint, ist die Auferstehung ein Teil seiner Rückkehr und Wiederverherrlichung. Bei Johannes ist wirklich von einer Auferstehung Jesu statt von seiner Auferweckung zu sprechen: Nach Joh 10,17 f ist beides so verbunden *(egō tithemi tēn psychēn mou hina palin lábō autēn)*, daß Johannes in der Tat eine Selbstauferweckung lehrt. Schon das »Einsetzen meines Lebens« meint im johanneischen Gesamtkontext die Rückkehr in das Präexistenzleben Vollziehen und damit den Seinen Ermöglichen. Nach Joh 20,30 sind die

Ostergeschichten ganz zu den Semeia gerechnet, mit denen Jesus den Vater verherrlicht. Darum auch stellt Joh 20,17 die Anabasis in das Zentrum des Osterkapitels (vgl. 3,13 f) Jesus wird 20,28 als »Gott« bekannt, wobei dieses Bekenntnis rahmend an den Prolog und damit an die Katabasis erinnert. Damit ist im Bekenntnis des Thomas der Kyrios-Titel verbunden, den die ersten 19 Kapitel mieden, der aber in den beiden Osterkapiteln 14mal steht und durch das Gottesprädikat interpretiert wird: Es ist der nun vom Vater Wiederverherrlichte. Wenn Joh 20,1 ff das leere Grab als Beweis fungiert, dann eben als der Beweis für die begonnene Anabasis. Die drei hermeneutischen Angaben zu den Erfüllungszitaten des Joh 2,22; 12,16 und 20,9 stehen wieder an den drei markanten Punkten des Buches: Erst nach dem johanneischen Ostern gibt es volles Glauben und Verstehen des johanneischen Jesus. Erst von der Anabasis her ist auch die Katabasis voll verstanden, womit verwehrt ist, die Katabasis im Sinne späterer Inkarnationschristologie zu verstehen. Das Verstehen, das es erst vom johanneischen Ostern als Anabasis her gibt, meint leserpragmatisch zugleich, daß erst der Buchschluß dieses volle Verstehen ermöglicht.

Die beiden johanneischen Osterkapitel sind literarisch von den Synoptikern abhängig, da sich Übereinstimmungen mit redaktionellen Formulierungen der Synoptiker nachweisen lassen.[185] Joh 20,1–18 wurde deutlich auf Red.-Mt 28.9 f (Ostererscheinung vor den Frauen, die Johannes in seiner typisch individualisierenden Weise auf Maria reduziert) und Red.-Lk 24,12.24 (Grabbesuch des Petrus) zurückgegriffen, wobei Lk 24,1–12 die Hauptquelle ist: Joh 20,1 f wurde Lk 24,1–9 summarisch zusammengefaßt und zwecks Vorbereitung der Christophanie in Joh 20,14–18 auf Maria Magdalena reduziert und die Engelvision ausgelassen. Joh 20,3–10 wird der Jüngergang zum Grabe aus Lk 24,12.24 johanneisch ausgewertet. Joh 20,11 wird die ausgelassene Vision der lukanischen zwei (!) Engel nachgetragen. Das Motiv der Nachricht an die Jünger aus Joh 20,2 wird anschließend unter Verwendung von Mt 28,10 in Joh 20,18 wiederholt.[186] Ebenso sind die beiden Szenen Joh 20,18–29 »sehr frei und selbständig auf Grund seiner Kenntnis einer Erzählung wie Lk 24,36–39 gestaltet«[187], wobei die Anklänge an Lk 24,40–49 ebenfalls noch zu berücksichtigen sind wie die Tatsache, daß der abschließende Makarismus Joh 20,29 nach Lk 10,23 f formuliert ist. Auch hinter Joh 21 stehen Lk 5,1 ff; 24,41, wodurch eine freie Kombination vom Fischfang des Petrus mit der Emmausjüngerszene entsteht, die durch die Lieblingsjüngerszene in ihrer Mitte Joh 21,7 f besonders akzentuiert wird.[188]

Besteht die Funktion von Joh 20 wesentlich in der Kennzeichnung der Vollendung der Anabasis, so dürfte die Identitätswahrung ein dem untergeordneter Gesichtspunkt sein: Der Aufgestiegene, der den Jüngern erschien und sie beauftragte, ist identisch mit dem Abgestiegenen. Wesentliches Leseziel ist in dem abschließenden Finalsatz Joh 20,30 f (vgl. 19,35) der Konjunktiv Präsens (nicht Aorist): »Daß ihr der wahren Überzeugung bleibt, daß der abgestiegene Jesus der aufgestiegene ist«[189]. Joh 21 hat nun nicht etwa den Zweck, noch eine Ostergeschichte nachzutragen. Liegt das Interesse schon in Kap. 20 nicht auf Ostern als Ostern, so ist auch die Kennzeichnung von Joh 21 als »Nachtrag« nicht nur eine schon beschreibungstheoretisch falsche, sondern regelrecht irreführende Funktionsbezeichnung; vielmehr soll »hier nun dem Leser endlich der Garant dieser Überlieferung, der wahrhaftige Zeuge und Evangelist vorgestellt werden. Daß dazu nach Kap. 20 nur noch eine Ostererzählung dienen konnte, versteht sich von selbst«[190]. So wie im Prolog der Täufer als Zeuge der Katabasis fungiert, so im Epilog nun dieser Täuferschüler für die Kontinuität der Anabasis dieses Herabgestiegenen. »Die gesamte, wie das Netz beim Fischzug unzerreißbare Kirche, sowie auch und gerade ihre beauftragten Führer sind für den Weg rechter Nachfolge bleibend auf das Zeugnis des wahrhaftigen Zeugen gewiesen«[191]. Das heißt auch die sich auf Petrus als Offenbarungsmittlerautorität (= speziell das als Petrusevangelium umlaufende Matthäusevangelium) stützende Kirche bleibt nur Kirche, wenn sie sich der johanneischen Synoptiker-Meditation anschließt und dem Konzept des 4. Evangeliums folgt. Das *ménein* des wahrhaftigen Zeugen Joh 21,23 meint ebenso wie auch sonst bei Johannes nun betont in der letzten Buchstelle »das Festhalten an der rechten, von der *archē* an gültigen und durch den Augenzeugen verbürgten Lehre«[192].

Darum ist ebenso auch das präsentische Partizip *martyrōn* 21,24 absichtlich gesetzt: »Er bleibt der Zeuge der Wahrheit bis zum endzeitlichen Kommen seines Herrn« und zwar »in seinem lebenserhaltenden Zeugnis, eben unserem Evange-lium«[193].

Eben das aber dürfte dann in der analogen Stelle 11,25f (bleiben, auch wenn er stirbt), schon genauso mitintendiert sein: Lazarus ist der, den Jesus »liebt«. Sein Heraus-holen geschieht im Blick auf seine Zeugenfunktion. Daher ist er genau an dieser Stelle des Buches unmittelbar vor der Passionswoche eingebracht, und wie Joh 21 nur der Form nach eine Ostergeschichte ist, so ist Joh 11 auch nur der Form nach eine Wundergeschichte. Beide haben ihrer Primärfunktion nach buchkonzeptionellen und leserorientierenden Grundla-genwert. Von daher dürfte sich die Suche nach einer johanne-ischen Grundschrift als überflüssig erweisen: Diese »Grund-schrift« sind die Synoptiker in ihrer heutigen Gestalt. Johannes ist die älteste Synoptikerharmonie mit Überbietungsabsicht als die Evangelienmeditation des Lazarus. Nicht umsonst wird noch Joh 20,7.9 erinnernd des Leser auf 11,24f.44 zurückver-wiesen: Selbst die Ekbasis des Offenbarungsmittlers ist nichts ohne die Anabasis des Offenbarers.

7. Resultat und Folgerung

7.1 Resultat: Die Unmöglichkeit der These von zwei »Formen des Osterglaubens«

Zur Eindeutigkeit des urapostolisch bezeugten Ostergeschehens stehen die auch untereinander widersprüchlich divergierenden Osterlegenden der nachapostolischen Jesusbiographien in einer unüberbrückbaren Spannung: Von der Ersterscheinung vor Petrus gibt es keine Erzählung und die Letzterscheinung vor Paulus wurde von Lukas aus dem Zusammenhang des Osterereignisses ausgeklammert und zur bloßen Bekehrungsgeschichte umgebildet. Die drei Erscheinungsdarstellungen vor den »Elf« (statt Zwölferkreis) in Mt 28,16 ff; Lk 24,33; Joh 20,19 ff lassen sich nicht auf eine gemeinsame Urform oder Tradition zurückführen. Alle nachapostolischen Osterlegenden aber lassen sich auch nicht sachgemäß unter der falschen Globalformel als »zwei Formen der Bezeugung des Osterglaubens«[194] mit den apostolischen Aussagen zusammenfassen, weil dabei sowohl mit einem mehrdeutigen Glaubens-« wie mit einem ebenso verschiedensinnigen »Zeugnis-Begriff« gearbeitet würde. Am jeweiligen textlinguistischen Gesamtkonzept jeder einzelnen Jesusbiographie, deren integraler Bestandteil die Osterlegenden sind, scheitert auch die apologetisch-harmonistische Kategorie, nach der es sich bei den Erscheinungsszenen dieser Bücher »um jüngere veranschaulichende Entfaltungen« eben des »Osterglaubens« handele.[195] Eher hat von Campenhausen[196] richtig beobachtet, daß nicht nur »gerade die Auferstehung, auf deren ursprüngliche Bezeugung Paulus solches Gewicht gelegt hatte, in immer neuen Erzählungen variiert« wird, »von denen nicht eine mit der von ihm gebotenen Namensliste sachlich zusammenstimmt«, so daß die Erweiterungen in den Schlußkapiteln der Jesusbiographien mit denen in der Vorschaltung »der noch ärger wuchernden Legenden über das irdische Erscheinen oder die Geburt des

74

Herrn« koinzidieren, so daß eine Komplementarität zwischen einer »unkontrollierten« Ausuferung des Jesus-Stoffes und der Reduktion des apostolischen Evangeliums »zu bloßen Stichworten« besteht.

7.2 Folgerung: Logische Syntax des Evangeliums als Kalkül einer theologischen Theorie

Angesichts der Anfänge zu Tendenzen zur Trivialliteratur bei wichtigen Schriften, die in den kirchlichen Kanon Aufnahme fanden, ist die Frage, wie »apokryph« sie selbst schon seien, weniger wichtig – da diese Frage sich an einem rein formalen, vorwissenschaftlichen Kanon der Alten Kirche orientieren würde, statt an einem vom semantischen Gehalt und den pragmatischen Funktionen bestimmten wissenschaftlich-theologischen Maßstab-Kanon. Dieser eigentliche Sachkanon liegt nicht im Neuen Testament selbst, sondern in dem Ereignis, auf das er zurückgeht und zurückweist, und so allen Schriften des Neuen Testaments voraus. Der Kanon ist kirchlich geworden und als eine Entscheidung von Menschen nicht wider bessere Einsicht a priori bindend. Versteht sich die Kirche als ecclesia militans und societas imperfecta, dann muß sie auch sterben können, d. h. Dinge ablegen die sich als nicht haltbar erweisen. Nur eine ecclesia triumphans kann nichts sterben lassen. Dies aber ist eine Absage an den creator spiritus, der auch abbauen möchte, was abgebaut werden muß, und neu schaffen, was neu geschaffen werden muß, damit die Christenheit ihrer Sendung genügt. Die Formel von der »Kontinuität mit den Vätern« wird of statisch und statutarisch mißbraucht, um Falsches festzuhalten und zu retten. Damit wird die Kontinuität aber auf eine falsche Identität reduziert und eingeengt. An die Stelle der bisherigen »verstehenden Hermeneutik« muß – nachdem auch die Theologie die Schwelle der Linguistik überschritten hat und die letzten fünfzig Jahre uns mehr Einsichten in den Gehalt jeder einzelnen neutestamentlichen Schrift gebracht haben als alle Jahrhunderte vorher – ein semiotisch bewußteres und kontrollierbares Rezeptionsmodell, eine Art semantischer »Hermeneutik«, treten. Dies ist sowohl unter missionarischen

Aspekten der Sendung der christlichen Gemeinde in einer nichtchristlichen Welt als auch unter ökumenischen Aspekten der sammelnden Selbstbesinnung der Kirchentümer aus ihren falschen staatskirchlichen Trennungswegen heraus unumgänglich. Als Orientierungshilfe einer »Hermeneutik der Sendung« für das Lesen des Neuen Testaments gelten zunächst drei Grundsätze:

1. Evangelium im strikten Sinne des Wortes ist nur der kontrollierbare Protokollsatz: Gott erweckte Jesus von den Toten.

2. Theologisch sind nur die Sätze, die sich logisch von dem Satz (1) ableiten lassen, die also evangelio-logisch im strengen Sinne sind.

3. Alles andere ist Ideologie aber nicht Theologie, so christlich es sich auch ausgeben mag.[197]

Anmerkungen

1 Den common sense formuliert etwa die These von § 2 »Das Evangelium als kirchengründende Predigt« in dem jüngsten Lehrbuch von E. *Lohse, Grundriß der neutestamentlichen Theologie (ThW 5), Stuttgart* ²1979, 14f: »Im Evangelium wird Jesus Christus als der gekreuzigte und auferstandene, erniedrigte und erhöhte Herr verkündigt, der für unsere Sünden starb, von Gott auferweckt wurde und sich als der Herr bezeugte. Das Christusgeschehen wird als Gottes eschatologische Heilstat ausgerufen, in der die Verheißungen der Schrift erfüllt sind.« Charakteristischerweise fehlt in den Literaturangaben zu einer so holistisch formulierten These der Hinweis auf W. *Kramer, Christos – Kyrios – Gottessohn (AThANT 44), Zürich 1963* dessen Untersuchungen und Analysen des urapostolischen Gebrauchs von »Evangelium« auf den ersten fünfzig Seiten seines Buches zu erheblichen Einschränkungen in einer solchen Definition nötigen. Auch der jüngste Lexikonartikel zu unserem Lexem, G. *Strecker, Art. eyaggelion, EWNT II (1980), 176–186,* läßt Kramers Untersuchung im Literaturverzeichnis vermissen, was zu einer bedenklichen Identifizierung von Glaubensformeln und Bekenntnisformeln führt, so daß Glaubensformeln als Bekenntnisformeln bezeichnet werden – das ist eine mangelnde Differenziertheit, die sich bei weitergehenden Folgerungen dann verhängnisvoll auswirkt, weil es zu Fehlschlüssen in der Gedankenführung kommen muß: vgl. die Hinweise und Warnungen bei W. *Schenk, »Wort Gottes« zwischen Semantik und Pragmatik. Eine Anfrage der empirisch-linguistischen Exegese an die existential-hermeneutische Interpretation, ThLZ 100 (1975), 481–494.*

2 G. *Friedrich ThWbNT II (1935), 719f,* also als nomen agentis.

3 *Ebd. 723:* »Die Vorgeschichte des neutestamentlichen Begriffs ist nicht in LXX zu suchen.«

4 *Ebd. 720 Anm. 19.*

5 Vgl. beim Substantiv Röm 2,16; Apk 14,6f; beim Verb 1Thess 3,6; Lk 3,18 (mit synonymem Doppelausdruck!); Apg 14,15; Apk 10,7: R. *Bultmann, Theologie des Neuen Testaments, Tübingen* ⁶*1968, 89,* dem *Strecker 1980, 174, 177* m.R. folg. Das bestätigt trotz aller gegenläufigen Tendenz auch die Durchmusterung der Belege bei P. *Stuhlmacher, Das paulinische Evangelium I. Vorgeschichte (FRLANT 95), Göttingen 1968, 153–206* (vgl. 109–153 und R. A. *Ficker THAT I (1971), 903f:* auch hebr. *bśr* ist zunächst neutral).

6 J. Z. *Smith, Good News is No News: Aretalogy and Gospel. In: J. Neusner (hg.), Christianity, Judaism and Other Graeco-Roman Cults I (New Testament), Leiden 1975, 21–38.* Illustrativ zeigt sich das hier zwischen Semantik und Pragmatik bestehende Aporie mpfinden in der Beobachtung,

die ich neulich an einem Plakat machte: Der Grundtext »Jesus lebt« war als Palimpsest zu »Jesus liebt dich« erweitert. Damit war der Akzent vom semantischen Gehalt auf die pragmatische Funktion verlagert – vielleicht, weil man sich von der pragmatischen Zuspitzung eine direktere Wirkung erwartete und zugleich die Sachprobleme des semantischen Gehalts umgehen konnte. Es ist hier noch der gleiche Zug zum Pragmatismus am Werke wie in der barocken Mystik des Angelus Silesius (1624–1677), der nach seiner Konversion in antithetisch-epigrammatischen Alexandrinern dichtet:

»Wird Christus tausendmal in Bethlehem geboren
und nicht in dir: Du bleibst noch ewiglich verloren.

Das Kreuz von Golgatha kann dich nicht von dem Bösen,
wo es nicht auch in dir wird aufgericht', erlösen.

Ich sag, es hilft dir nicht, daß Christus auferstanden,
wo du noch liegen bleibst in Sünd und Todesbanden.«

(Cherubinischer Wandersmann, Breslau 1675, I, 61–63).

Solche Mystik führt dann letztendlich doch nur zur Choralmoral seines christlich nicht gut verantwortbaren Liedes (»Mir nach, spricht Christus, unser Held«). Dem tatsächlichen Zusammenhang von Semantik und Pragmatik entsprechend müßten die Sinnreime des Breslauer fürstbischöflichen Hofmarschalls umgekehrt werden: Wäre Christus tausendmal in dir auferweckt doch nicht tatsächlich, dann lohnte sich darüber kein Wort mehr zu verlieren (vgl. 1Kor 15,14): »Das eigentliche Problem der Dogmatik ist deshalb nicht das in der hermeneutischen Dogmatik verhandelte Verhältnis von Vergangenheit und Gegenwart, Tradition und Situation, sondern die Frage, wie wir nach Feuerbach, Marx, Nietzsche und Freud in intellektueller und wissenschaftlicher Redlichkeit von Gott sprechen können«, formuliert darum m. R. W. Kasper, Dogmatik als Wissenschaft. Versuch einer Neubegründung, ThQ 157, 1977, 189–203, 195 f (= ThJb(L) 1979, Leipzig 1979, 229–241, 235 f); vgl. K. Barth, Kirchliche Dogmatik IV/1, 1953, 315 ff und IV/3, 1959, 644 ff zur Auseinandersetzung mit der augustinisch-pietistischen Linie eines religiosisierten Evangeliumsverständnisses.

7 M. Luther, WA 21, 223 f nach E. Bizer, Über die Rechtfertigung. In: F. Viering (hg.), Das Kreuz Jesu Christi als Grund des Heils, Gütersloh 1967, 11–29, 28; vgl. W. Schenk, Der Passionsbericht nach Markus, Berlin (= Gütersloh) 1974, 10.

8 C. Harms, Pastoraltheologie. In Reden an Theologiestudierende, Gotha ²1891, 54 nach E. Hertzsch, Überlegungen zur Neugestaltung des Lektionars für evangelisch-lutherische Kirchen und Gemeinden, ThLZ 94, 1969, 163–172, 169; vgl. W. Schenk, Exegetisch-theologische Überlegungen zur Frage eines neuen Lektionars, VF 20/1, 1975, 80–105, 83 Anm. 6.

9 H. H. Seiler, KP II, 1515–1517.

10 W. Kranz, *Geschichte der griechischen Literatur*, Leipzig ³1958, 520.

11 H. Gams, KP I, 115 f.

12 W. Nestle, *Griechische Geistesgeschichte*, Stuttgart 1944, 428.

13 Ebd. 430 f; Kranz 1958, 448–455; K. Löwith, *Weltgeschichte und Heilsgeschehen*, Stuttgart ⁷1980, 15–18; J. Topolski, *Methodology of History*, Warszawa-Leiden 1976, 67–71.

14 *Lukian, Werke I–III*, Berlin-Weimar 1974, II, 266–300; vgl. H. D. Betz, *Lukian von Samosata und das Neue Testament* (TU 76), Berlin 1961, 100 ff zu seinem biographischen Verfahren; E. Floder, *Lukian und die historische Wahrheit*, Diss. Wien 1947; A. Vives Coll, *Luciano y la historia*, Helm 8, 1957, 213–222; zur Rezeptionsgeschichte in der beginnenden Neuzeit: R. Helm, *Lukian und Menipp*, Leipzig 1906, 1 ff; zur generellen Entwicklung der neuzeitlichen Geschichtswissenschaft: Topolski 1976, 78 ff.

15 Lukian II, 272.

16 W. Schenk (u. a.), *Gemeinde im Lernprozeß. Die Korintherbriefe* (= BaPr 22), Stuttgart ²1980, 13–15, 82–84; vgl. W. Schenk, *Bibelarbeit und Bibelwoche. Notwendigkeit und Möglichkeit exegetischen Gottesdienstes* (HGA 53), Berlin-Gütersloh 1971, 10–20.

17 P. S. Minear, *Audience Criticism and Markan Ecclesiology*. In: *Neues Testament und Geschichte* (FS O. Cullmann), Zürich 1972, 79–89; ders. *The Disciples and the Crowds in the Gospel of Matthew*, AThRSuppl Ser. 3, 1974, 28–44; ders. *Jesus' Audiences according to Luke*, NT 16, 1974, 81–109. H.-F. Weiß, *Der Pharisäismus im Lichte der Überlieferung des Neuen Testaments*, SSAW.PH 110/2, Berlin 1965, 89–132; G. Baumbach, *Jesus von Nazareth im Lichte jüdischer Gruppenbildung*, Berlin 1971; S. van Tilborg, *The Jewish Leaders in Matthew*, Leiden 1972.

18 Lukian II, 272 f, 273 f.

19 Ebd. 275.

20 So z. B. nach dem typisch formgeschichtlichen Dogma: M. Dibelius, *Die Formgeschichte des Evangeliums*, Tübingen ⁶1971, 286: »Im Johannesevangelium redet überall der Postexistente«. Hier wird etwas, was man für vorredaktionelle Schichten vielleicht und auch nur zum Teil herauspräparieren kann, einfach und unmethodisch auf die Redaktion des vorliegenden Werkes übertragen. Vgl. dagegen den berechtigten Einspruch von M. Lattke, *Einheit im Wort. Die spezifische Bedeutung von agápē, agapân und fileîn im Johannesevangelium* (StANT 41), München 1975, 37–40.

21 R. Ruether, *Nächstenliebe und Brudermord. Die theologischen Wurzeln des Antisemitismus*, München 1978, 210 ff hat damit die Konsequenzen, die aus den jedermann bekannten Sachverhalten von Anm. 15 zu ziehen sind, folgerichtig beschrieben.

22 *Lukian II, 273.*

23 Zum lk Paulusbild vgl. *Chr. Burchard, Der dreizehnte Zeuge (FRLANT 103), Göttingen 1970; ders., Paulus in der Apostelgeschichte, ThLZ 100, 1975, 881–895* zu den Monographien von K. *Löning, Die Saulustradition in der Apostelgeschichte (NTA 9), Münster 1973; V. Stolle, Der Zeuge als Angeklagter. Untersuchungen zum Paulusbild des Lukas (BWANT 62), Stuttgart 1973; H.-J. Michel, Die Abschiedsrede des Paulus an die Kirche Apg 20,17–38 (StANT 35), München 1973;* vgl. zuletzt *J. Roloff, Die Paulus-Darstellung des Lukas, EvTh 39, 1979, 510–531; A. Lindemann, Paulus im ältesten Christentum (BHTh 58), Tübingen 1979, 49–68, 163 bis 172;* speziell zum vorchristlichen Paulus: *A. J. Hultgren, Paul's Pre-Christian Persecutions of the Church: Their Purpose, Locale and Nature, JBL 95, 1976, 97–111.*

24 Das Zutrauen und die Bevorzugung der Apg bei G. *Bouwman, Paulus und die anderen: Porträt eines Apostels, Düsseldorf 1980, 11–22* (als Quelle noch vor den paulinischen Briefen dargestellt!) führt zu originellen und phantasievollen Einfällen und Kombinationen, überzeugt aber weder von einem »wohlbegründeten Recht« der Apg noch davon, daß diese Darstellung »das« Paulusbuch der letzten Jahre sei. Im Gegenteil: Ohne eine genügende traditionsgeschichtliche Analyse führt es nachweislich dazu, daß S. 29 u. ö. der Gerichtsbegriff lukanisch und nicht paulinisch bestimmt wird und ebenso S. 43 der Glaubensbegriff, S. 75 der Rechtfertigungsbegriff, S. 80f der Evangeliumsbegriff. Das Buch belegt nur die Tatsache, daß, wer die Apg vorzieht, die Tendenz zum aggiornamento nicht nur en gros, sondern auch en detail (typisch S. 125 f) hat. »Das« Paulusbuch der letzten Jahre ist zweifellos *E. P. Sanders, Paul and Palestinian Judaism. A. Comparison of Patterns of Religion, London 1977.*

25 *Ch. H. Talbert, Literary Patterns, Theological Themes and the Genre of Luke-Acts (SBLMS 20), Missoula 1974; A. J. Matill jr, The Jesus-Paul Parallels and the Purpose of Luke-Acts, NT 17, 1975, 15–46; W. Radl, Paulus und Jesus im lukanischen Doppelwerk. Untersuchungen zu Parallelmotiven im Lukasevangelium und in der Apostelgeschichte (EHS.T 49), Frankfurt 1975,* und dazu die Rez. von *Chr. Burchard ThLZ 105, 1980, 40f; G. Muhlack, Die Parallelen von Lukasevangelium und Apostelgeschichte (ThWi 8), Frankfurt 1979* – diese Diss. berücksichtigt die drei vorgenannten Arbeiten noch nicht.

26 *N. Brox, Die Pastoralbriefe (RNT 7/2), Regensburg 1969, 66–78; A. Lindemann 1979, 44–49, 134–149.*

27 Vgl. *E. Lohse, Die Briefe an die Kolosser und an Philemon (KEK 9/2), Göttingen* ²*1977, 250–260;* zur literarischen Abhängigkeit von den Paulusbriefen *E. P. Sanders, Literary Dependence in Colossians, JBL 85, 1966, 28–45;* zu den spezifischen Differenzen im Personalstil gegenüber Paulus: *W. Bujard, Sti analytische Untersuchungen zum Kolosserbrief als Beitrag zur Methodik*

von Sprachvergleichen (SUNT 11), Göttingen 1973; Lindemann 1979, 38–40,
114–122.

28 Zur Jesus-Christologie des MK: *P. Vielhauer, Erwägungen zur Christologie des Markusevangeliums.* In: *Ders., Aufsätze zum Neuen Testament (TB 31), München 1965, 199–214; U. Luz, Das Geheimnismotiv und die markinische Christologie, ZNW 56, 1965, 9–30; W. Schenk, Der Einfluß der Logienquelle auf das Markusevangelium, ZNW 70, 1979, 141–165,* wo ich zu zeigen versuche, daß Mk seine Jesus-Christologie wesentlich als kritische Auseinandersetzung mit Tendenzen der Q-Redaktion entwickelt hat. Vgl. ferner die Exkurse bei *R. Pesch, Das Markusevangelium (HThK 2/2), Freiburg 1977, 36–47; J. Gnilka, Das Evangelium nach Markus (EKK 2/1), Zürich-Neukirchen 1978, 60–64.*

29 *R. Morgenthaler, Statistik des neutestamentlichen Wortschatzes, Zürich* ²*1973, 164* gab den Nestle-Bestand mit 13749 Wörtern an. Auf die sieben anerkannten Paulinen entfallen ohne die nachpaulinischen Glossen (55 von Röm 16,25–27; 36 von 1Kor 14,35 f; 42 von 1Thess 1,15 f) 23962, auf die vier Jesusbiographien, wobei das lukanische Doppelwerk als ein Buch gezählt wird (mit 38810 Wörtern), entfallen dann 82773 Wörter.

30 *G. Bornkamm, Art. Evangelien, formgeschichtlich, RGG³, Tübingen 1958,* II, *749–753, 750.* Damit in der Sache und Anordnung völlig gleich *W. G. Kümmel, Einleitung in das Neue Testament, Heidelberg 1973, 11–13,* wobei wiederum (s. o. Anm. 1) jeder Hinweis auf *W. Kramer 1963* fehlt: »In den synopt. Evv. begegnen wir zum erstenmal einer neuen eigentümlichen Literaturgattung. Die Evv. sind, als literarische Form angesehen, eine Neuschöpfung. Sie sind keine Lebensbeschreibung nach Art der hellenistischen Biographie ... das leitende Interesse ist das der Glaubensweckung und Glaubensstärkung« (12 f). Ein deutliches Abrücken von dieser »dogmatischen Einschränkung der literarischen Verwendung des Terminus« unter dem Eindruck, daß alle frühchristlichen Richtungen – auch die häretischen – ihre Jesusbücher »Evangelien« nennen, ist deutlich bei *P. Vielhauer, Geschichte der urchristlichen Literatur, Berlin (=1978), 252–258* erkennbar, bei dem Kramers (im Anschluß an Conzelmann gemachten) grundlegenden Beobachtungen 13 ff wesentlich zum Tragen kommen. Die Unsicherheit der gegenwärtigen Übergangssituation spiegelt sich auch in den tastenden und widersprüchlichen Aussagen von *H.-M. Schenke – K. M. Fischer, Einleitung in die Schriften des Neuen Testaments II, Berlin 1979, 9–14.* Heißt es S. 9 »Das Problem der Relation zwischen der neutestamentlichen (namentlich der paulinischen) Briefliteratur und der neutestamentlichen Erzählungsliteratur besteht darin, daß wir es in den Erzählungen von Jesus geradezu und wortwörtlich mit einem ›anderen Evangelium‹ zu tun haben«, so formuliert S. 11 abgeschwächt »Die Langerzählungen sind eben tatsächlich so etwas wie (!) ein ›*anderes* Evangelium‹ – nicht ein bloß weiterentwickeltes *euaggélion*.« Heißt es einmal (in Übereinstimmung mit Vielhauer): »Der Name ›Evangelium‹ für den von ›Markus‹ und ›Johannes‹ geschaffenen Texttyp begegnet im Neuen Testament selbst überhaupt noch nicht. Wir finden ihn erst vom 2. Jh.

an« (11), so kurz darauf der Ausdruck habe bei Markus »einen so hohen Stellenwert, daß mit ihm der gesamte Inhalt des Buches zusammengefaßt und das Buch selbst bezeichnet wird (vgl. 14,9 ; 1,1). Wir möchten sogar vermuten, daß in Mk 1,1 tò euaggélion Iēsoû Christoû als Titel des ganzen Werkes impliziert« (12 – so übrigens schon R. Bultmann, Die Geschichte der synoptischen Tradition (FRLANT 29), Göttingen ⁹1979, 372 gegen Dibelius 1971, 81, der meinte, daß für Mk das ›Evangelium‹ noch eine außerhalb seines Buches stehende Größe gewesen sei, was Bornkamm 1958, 749 ausdrücklich aufnimmt und Kümmel 1973 wie Vielhauer 1978 faktisch voraussetzen). Ebenso widersprüchlich bleibt die Gattungsbestimmung. Zuerst liest man : Der bei Mk und Joh »zustande gekommene Texttypus ist zu beschreiben als eine fortlaufende und zusammenhängende Schilderung des Lebens und Wirkens Jesu von den Anfängen bis zur Passion, Kreuzigung und Auferstehung ; er ist also eine Art Vita Jesu« (10) ; dann aber bleibt es dabei, daß »das Evangelium im Wesen etwas relativ Neues und Eigenständiges« darstelle und sich erst »im Verlauf der Evangelien-Schriftstellerei« dann »ein gewisser Zug zur Anpassung an die benachbarten literarischen Formen (Biographie, Memoiren, Heiligenlegenden, Heldensagen usw.) geltend« mache (13). Ähnlich kehrt auch Vielhauer 1978, 348–355 schließlich wieder in den vermeintlich sicheren Hafen der frühen synoptischen Formgeschichte zurück, nach der die Evangelien eine neue, selbständige Gattung als »original christliche Schöpfung« (Bultmann 1979, 399 f) seien. Als nichts anderes muß schließlich auch das Ziel des Buches von E. Güttgemanns, Offene Fragen zur Formgeschichte des Evangeliums (BEvTh 54), München ²1971, 184 ff bewertet werden, die »Form des Evangeliums« als »autosemantische Sprachform« (258) zu bestimmen ; »d. h. eine Sprachform, die in ihrem ›Sinn‹ nur durch und aus sich selbst erklärt werden kann, weil sie ihren sprachlichen ›Sinn‹ durch und in sich selbst hat und nicht synsemantisch ›ableitet‹ oder entlehnt« (197). Problematisch an dieser Definition ist, daß hier Termini der Wortsemantik (Autosemantika, Selbstbedeuter als Voll- oder Begriffswörter, die syntaktisch als Satzglieder fungieren können im Unterschied von Präpositionen, Konjunktionen usw. als Synsemantika – vgl. Th. Lewandowski, Linguistisches Wörterbuch, Heidelberg ²1976, I, 83 f) einfach und unmodifiziert auf ganze Texte übertragen wird, wo doch schon Sätze meist nur aus einer Menge beider Elementenklassen bestehen (vgl. St. Ullmann, Semantik. Eine Einführung in die Bedeutungslehre, Frankfurt 1973, 54 ff). Präziser ausgedrückt meint Güttgemanns, daß es sich um autoreferentielle Texte handelt, wie sein wiederholter Hinweis auf den fiktionalen Charakter zeigt, Daß indessen die Autoren der Jesusbiographien keinen Anspruch auf eine Entsprechung der von ihnen dargestellten Sachlage auf wirkliche Sachverhalte erheben würden, kann man angesichts von Lk 1,1 ff und Joh 19,35 ; 21,24 kaum sagen ; und Mt 16,17 hat der unbedingte Makarismus für Petrus die buchtechnische Funktion, ihn als den authentischen Mittler und das Jesusbuch selbst als »Petrusevangelium« auszuweisen (vgl. Chr. Kähler, Zur Form- und Traditionsgeschichte von Mt 16,17–19, NTS 23, 1976/77, 36–58). Der Anruf an die Leser Mk 13,14 im Blick auf referentielles Geschehen am Jerusalemer Tempel bezeugt, daß auch Mk sein Buch nicht als autoreferentiellen Text verstanden wissen wollte (zu speziellen Buchzielfunktion des Verbs *noéō* vgl. *W. Schenk, Art. noéō EWNT II, 1981, 1154f*). Es bleibt natürlich jedem Leser freigestellt, sich in eine fiktionale Kommunikationsrolle jedwedem Text gegenüber zu begeben. Es wäre aber die typische Leser-Forschung-Konfusion entstanden, wenn diese Empfängerpragmatik als Senderpragmatik ausgegeben würde (vgl. *H. U. Gumbrecht, Fiktion und Nichtfiktion.* In: *H. Brackert–E. Lämmert (hg.), Funk-Kolleg Literatur I (FTB 6326), Frankfurt 1977, 188–209; J. Vogt, Erzählende Texte.* In: *H. L. Arnold–V. Sinemus (hg.) Grundzüge I (Literaturwissenschaft) (dtvWR 4226), München* ⁵*1978, 227–241, 285–302*). Die Kritik von *Vielhauer 1978, 351f* an *Güttgemanns 1971* bleibt vorlinguistisch.

31 Vgl. außer den vorgenannten Stellen noch *M. Dibelius, Geschichte der urchristlichen Literatur (TB 58), München* ²*1975, I/41* (= Berlin 1926); *R. Bultmann, Art. Evangelien, RGG², Tübingen 1928, II, 418–422; Ders., 1968 88f; J. Schniewind, Zur Synoptikerexegese* ThR.NF 2, 1930, 129–189, 183 ; für weiteste Verbreitung dieser Wertung sorgen heute noch *H. Zimmermann, Neutestamentliche Methodenlehre, Stuttgart* ⁶*1978, 135–139; H. Conzelmann–A. Lindemann, Arbeitsbuch zum Neuen Testament (UTB 52), Tübingen* ⁴*1979, 30f.*

32 *K. L. Schmidt, Die Stellung der Evangelien in der allgemeinen Literaturgeschichte.* In: *Ders., Neues Testament – Judentum – Kirche (TB 69), München 1981, 37–130 (Eucharisterion. Studien zur Religion und Literatur des Alten und Neuen Testaments. H. Gunkel zum 60. Geburtstag. 2. Teil, Göttingen 1923, 50–134)* ist primär an der Antithese von »Kleinliteratur gegen Hochliteratur« orientiert (48 vgl. 46 »eigentliche Literatur«, 51, 57, 64 »volkstümliche Überlieferung« contra »Schriftstellerpersönlichkeit«, 66f: »Das Evangelium ist von Haus aus nicht Hochliteratur, sondern Kleinliteratur, nicht individuelle Schriftstellerleistung, sondern Volksbuch, nicht Biographie, sondern Kultlegende.«). Da das Gegenüber die antike eigentliche Literatur ist, steht Schmidt nicht prinzipiell gegen die Klassifikation als Biographie und schlägt als Klassifikation »Volksbiographie«, »volkstümliche Biographie« vor (71 »Das Wesentliche ist jedenfalls, daß die Merkmale der Kleinliteratur, des Volksbuches nicht verkannt werden dürfen.« Vgl. 84f »biographisches Volksbuch«). Schmidt teilt das eine formgeschichtliche Axiom, das der Vordersatz des Anm. 28 angegebenen Zitats formulierte, »daß die Evangelienfrage . . . letztlich in der Frage nach der Geschichte der synoptischen Tradition« bestehe (79 vgl. 60: »Das Wesentliche der Evangelienerklärung (liegt) in der Erkenntnis der Vorstufen, d. h. nicht in der Individualität des Autors, sondern in einem ihm vorausliegenden Entwicklungsprozeß der Traditionen«). Hier wird also die Gattungsfrage evolutionistisch beantwortet, sofern das Genus nur als Endprodukt der Stoffentwicklung betrachtet wird und als ob nicht ein bestimmtes Sujet in sehr verschiedenen Texttypen ausgedrückt werden könne. Andererseits ist bemerkenswert, daß Schmidt nicht den im kausalen Asyndeton angeschlossenen Nachsatz, also die eigentliche Begründung des Anm. 28 angegebenen Zitats vertritt. Hier generalisiert er eher in konsequenter

Fortführung seines biologistischen, lebensphilosophischen Ansatzes: »In den Evangelien, Legendenbüchern und Volksbüchern« vollziehe sich »ein unbewußter Vorgang, etwas von selbst Gewachsenes« (50 vgl. 41: »Das ist in der evangelischen Überlieferung ein natürlicher Prozeß, nichts schlecht Gemachtes, sondern in verschiedener Weise Gewachsenes« ; ähnlich 72 f). Schmidt teilt nicht den kulturkritischen Ansatz des Kerygmatismus der anderen Formgeschichtler, wenn für ihn romantisch immer wieder das »Volk als Schöpfer und Träger der Überlieferung, als »der namenlose Urheber«, »geheimnisvolles und kollektives Agens« in seinem »ungebundenen Beeindrucktsein« (92 f), »volkstümlich im Sinne von urtümlich, urwüchsig (volksliedmäßig)« (122 f) kennzeichnet: Auch wenn »das eine oder andere Individuum diesen oder jenen Jesus-Spruch weitergegeben und geformt hat«, so »liegt's (im ganzen) wie beim Volkslied, dessen Urheber das Volk bleibt, so sehr auch das Individuum, allerdings nur als Exponent des Volkes, als Schöpfer in Betracht kommen kann« (64). Der Bezug zu dem Religionsbegriff von R. Otto, Das Heilige, Breslau 1917 (⁸1922) vom lebendigen, echt religiösen »als urwüchsig-instinktmäßige und naive Regung und Trieb« wird denn von Schmidt (62 f, 114 ff) auch explizit gegeben.

Schon Schmidts einleitende forschungsgeschichtliche Problemstellung kann jeden aufmerksamen Leser von der Unhaltbarkeit seiner Grundthese überzeugen, die er nur durch die auf seinen Axiomen aufgebauten falschen Antithesen erreicht. Der Gegensatz der Evangelien zu »bestimmt faßbaren Schriftstellerpersönlichkeiten« (40) muß sich immer wieder den Selbsteinwand »aber Lukas« (42 f u. ö.) machen. Der Gegensatz von »schlecht gemachten« Biographien und »natürlich gewachsenen« Evangelien (41 u. ö.) ist parteiisch konstruiert. Das Kriterium des Fehlens von »Chronologie und Psychologie« (41 f, 47 u. ö.) ist eine anachronistische Konfusion, die Kategorien der modernen Biographie für die Antike voraussetzt. Dessen ist Schmidt sich bewußt, doch hilft er sich mit der Ausflucht: »Diese Art von biographischer Überlieferung, auf die wir geführt worden sind, folgt denselben Überlieferungsgesetzen in allen Zeiten, in allen Sprachen, in allen Kulturen, Rassen und Bekenntnissen. Sie ist ihrem Wesen nach zeitlos und ortslos« (74). Bedenken gegen die Beschränkung der Formanalyse auf »sog. Kleinliteratur« äußerte schon Bultmann 1979, 5 Anm. 1 im Anschluß an J. Burckhardt, Zur geschichtlichen Betrachtung der Poesie. In: Ders., Weltgeschichtliche Betrachtungen, Stuttgart 1935, 69–80. Darum konnte G. N. Stanton, Jesus of Nazareth in New Testament Preaching (SNTS.MS 27), Cambridge 1974, 125 den von Schmidt gefertigten Spieß einfach umdrehen und die Evangelien als »Hochliteratur« bestimmen, nachdem er einige Klarstellungen über die Differenz zwischen antiken und modernen Biographien entwickelt hatte (121). Über »Volkspoesie als Erfindung und Konstruktion der romantischen Wissenschaft« hat E. Güttgemanns 1971, 119–137 den Theologen die nötige Information übermittelt. Im übrigen ist nicht zu vergessen, daß die wesentlichen Argumente der Formgeschichtler auf den ersten Bestreiter des biographischen Charakters der Evangelien, D. F. Strauß, Das Leben Jesu kritisch bearbeitet, Tübingen ³1838/39, I, 1–4 zurückgehen: Weil sie mythisch sind, sind sie nicht biographisch (im Sinne des 19. Jahrhunderts); vgl. *R. Slenczka, Geschichtlichkeit und Personsein Jesu Christi. Studien zur christologischen Problematik der historischen Jesusfrage (FSÖTh 18), Göttingen 1967, 46–61, 65–69.* Noch G. *Theißen, Urchristliche Wundergeschichten (StNT 8), Gütersloh ⁴1980, 218–224* macht anachronistisch das Vorhandensein einer Kindheitsgeschichte zum Kriterium der Biographie (219) und sieht diese darum erst bei Matthäus und Lukas vorliegen. Dagegen gehören zur antiken Biographie wesentlich nur das Wirken und der Tod des Heros.

33 Die klassische Studie von F. *Leo, Die griechisch-römische Biographie, nach ihrer literarischen Form, Leipzig 1901,* differenzierte drei Typen (nicht nur zwei, wie *Vielhauer 1978, 352* Anm. *43* angibt, wobei er offenbar ohne eigene Lektüre Leos von *Schmidt 1981, 49f* abhängig ist, während sich bei *Schmidt 70f* noch das vollständigere Konzept Leos abzeichnet; übergangen ist der wichtige erste Typ):

(a) Lobreden-*(egkōmion-)*Biographie, die moralisch orientiert ein beispielhaftes Vorbild hinstellt *(parádeigma),* so für Herrscher bei Isokrates (436–338 v. Chr.), Euagóras (-Rede 9); Xenophon (ca. 430–354 v. Chr.), Agesilaos (10,2 typisch für Funktionsbestimmung); später (98 n. Chr.) Tacitus (über seinen Schwiegervater), De vita et moribus Iulii Agricolae liber (vgl. *W. S. Teufel, L. Schwabe, Geschichte der römischen Literatur, Leipzig ⁴1882, 773–776);* dieser Typ wurde etwas vereinseitigt herangezogen von *Ph. Shuler, The Synoptic Gospels and the Problem of Genre,* Ph. D. Diss., McMaster University 1975; vgl. zur kritischen Würdigung dieses Ansatzes *Ch. H. Talbert, What is a Gospel. The Genre of the Canonical Gospels,* London ²1978, 13f; ders., *Biographies of Philosophers and Rulers as Instruments of Propaganda in Mediterranean Antiquity, ANRW II, 16/2, Berlin 1978, 1619–1651;* ders., *The Gospel and the Gospels, Interp. 33, 1979, 351–362;* eine Diskussion der gesamten gegenwärtigen Forschungslage gibt *W. S. Vorster, Wat is 'n Evangelie? Die plek van die tekssoort Evangelie in die Literatuurgeskiedenis, Pretoria 1981.*

(b) Die peripatetische Biographie (weil auf den Peripatos zurückgehend) verfährt mehr sachlich als chronologisch und stellt den Charakter *(ēthos)* des Mannes durch seine Handlungen *(práxeis)* heraus (Plutarchs Parallelviten), wobei im Unterschied zum Typ (a) nicht nur positiv Vorbildliches zur Sprache kommt. Die Intention ist dennoch moralisch auf die Nachahmung des Lobenswerten gerichtet (Kleomenes 13). In direktem Anschluß an *Leo 1901* rechnete schon *J. Weiß, Das älteste Evangelium. Ein Beitrag zum Verständnis des Markusevangeliums und der ältesten evangelischen Überlieferung, Göttingen 1903, 11f,* Mk wegen der für diesen Typ charakteristischen »Methode der indirekten Charakteristik« »ohne Zweifel der peripatetischen Entwicklungslinie« zu. Verräterisch in Abwehr und Begründungsweise ist das Urteil von *Schmidt 1981, 50f:* »Es kann kein Zweifel bestehen, daß hier J. Weiß eine wichtige Eigenart des Markusevangeliums und der Evangelien überhaupt fein beobachtet, aber falsch gewertet hat. Die Frage, ob Markus in der Linie der peripatetischen Biographie steht, darf nicht (!) gestellt werden;

sie ist für die Erkenntnis der Evangelien schlechterdings unfruchtbar« (da »nicht gemacht«, sondern »unbewußt gewachsen«).

(c) Der Typ der Alexandrinischen Grammatikervita, den Kallimachos von Kyrene (ca. 300–245 v. Chr.) und sein Neffe Eratostenes (ca. 275–200 v. Chr. – der erste, der sich einen »Philologen« nannte) begründeten und der sich zuerst in den Biographien der drei großen Tragiker niederschlug, wurde 120 n. Chr. von Suetonius (ca. 75–160 n. Chr.) auf die ersten zwölf römischen Kaiser in De vita Caesarum übertragen. Hier überwiegt strenge Stoffeinteilung, Beachtung chronologischer Abfolge (Suetons Kaiserbiographien sind erst in jedem zweiten Teil mehr sachlich als chronologisch geordnet, was aber nicht dazu führen darf – wie bei *Vielhauer 1978, 352 Anm. 43* – die Kategorien grundsätzlich zu verwechseln und den peripatetischen Viten primär chronologische Kategorien zuzuordnen!). Ihre Absicht ist primär informativ; sie unterscheiden sich von allen anderen Typen durch das Fehlen der didaktisch-propagandistischen Imitatio-Tendenz und sind darum auch nie zur Bestimmung der Gattung der Evangelien (oder aber nur als differenzierende Kontrast-Folie) herangezogen worden.

Die Forschung hat seit Leos Standardwerk natürlich präzisierende Fortschritte gemacht: *R. D. Stuart, Epochs of Greek and Roman Biography, Berkeley 1928* (der 178 vor der Konfusion mit modernen biographischen Konzeptionen warnt); kritische Modifikationen zu Leo bieten vor allem *A. Dihle. Studien zur griechischen Biographie (AAG III/37), Göttingen 1958, 8 ff* (S. 57–104 stimmt dem peripatetischen Typ zu, S. 104–116 bestreitet er die Annahme eines alexandrinischen Typs) und *A. Momigliano, The Development of Greek Biography, Cambridge Mass. 1971, 10, 19 f, 45 f*. Vor allem hat man seither noch einen neuen Typ

(d), den der ausgesprochen volkstümlichen Biographie, in Betracht zu ziehen, wie er vor allem in der in der Mittelklasse der Rhetorikschulen als Übungsstoff verwendeten Vita Aesopi G vorliegt *(B. E. Perry (hg.), Aesopica: A Series of Texts relating to Aesop I: Greek and Latin Texts, Urbana 1952; ders., Studies in the Text History of the Live and Fabels of Aesop, Haverford Pa. 1936; L. W. Daly, Aesop without Morals, New York 1961*; zur Anwendung auf die Evangelien: *Berger 1977, 71 f; Talbert 1978, 4* gegen Schmidt (!) vgl. S. 93 sowie schon P. Wendland, *Die urchristlichen Literaturformen (HNT 1/3), Tübingen* ³1912, 200; M. Hengel, *Zur urchristlichen Geschichtsschreibung, Stuttgart 1979, 25*, sieht sie vom Ahikar-Roman beeinflußt) sowie bei Secundus, dem schweigsamen Philosophen, wo die Biographie als Einführung in seine Lehre dient *(B. E. Perry, Secundus the Silent Philosopher, Haverford Pa. 1964; Talbert 1978, 4, 93, 96, 103)*: Auf die Vita folgt die systematische Darstellung seiner Lehre in Form von zwanzig Antworten Hadrians. Dieser vierte Typ hat ebenso wie die beiden ersten wieder eine vorwiegend propagandistische Funktion. Dieser Typ ist auch darum so wichtig, weil sich schon die klassische Bestimmung der Evangelien als Biographien von C. W. Votaw, *The Gospels and Contemporary Biographies in the Greco-Roman World, AJT 19, 1915, 45–73, 217–249* (Reprint als selbständige Publikation, eingeführt von J. Reumann, Philadelphia 1970) seine Beispiele ausdrücklich

als »popular biographies« wertete, was die Polemik, mit der *Schmidt 1981, 39 f*
seine Darstellung einleitete, glatt unterschlug. Auf dieser Linie bestimmt nun
auch J. *Dury, What are the Gospels?, ET 87, 1976,* 324–328 Markus als »a
rough biography«. Vgl. für Mk auch W. S. *Vorster, Die tekssoort Evangelie en
verwysing, ThEv 13, 1980,* 27–47.

34 *Talbert 1978, 13, 15, 25–52;* es sind immer »Sterbliche«, die erst
»Unsterbliche« werden (26 f) im Unterschied zu den von Uranfang an seienden
Gottheiten. Im Johannesevangelium wird dagegen der gemeinantike Mythos
vom absteigenden und aufsteigenden Erlöser benutzt, den das Judentum schon
auf die Weisheit und das Gesetz und Q dann von daher auf Jesus übertragen hat
(ebd. 53–89); vgl. schon: *ders., The Concept of Immortals in Mediterranian
Antiquity, JBL 94, 1975, 419–436;* ders., *The Myth of a Descending-Ascen-
ding Redeemer in Mediterranean Antiquity, NTS 22, 1976, 418–439* im
Anschluß an den Aufweis der Legitimierungsfunktion der mythischen
Schemata in der antiken Literatur durch *B. A. van Groningen, In the Grip of
the Past, Leiden 1953.* Man muß sich die Frage stellen: Hat die Verwendung
des überbietenden Konzepts bei Joh etwa den Grund, daß es eine entsprechende
Täuferbiographie (vgl. die täuferische Vorlage des Prologs Joh 1,1 ff), mit der
die Synoptiker für Jesus nicht mehr konkurrieren konnten?

35 *Ebd. 135;* zur Definition vgl. *16 f;* zur neuen Klassifikation nach
Funktionen *92–98:*

Typ A   Nachahmungsbiographien primär moralischer Art;

Typ B   Aufrichtung des wahren Lehrerbildes in Abwehr von falschen
         Bildern (daran haben alle »Evangelien« Anteil);

Typ C   Satirische Biographie (gegen fremde Schulen bzw. Herrscher) zur
         Diskreditierung;

Typ D   Biographie mit Nachfolgerlisten, um die wahre Tradition zu sichern
         (von hier her erklärt sich das lukanische Doppelwerk mit der
         wechselseitigen Angleichung von Jesus an Petrus und Paulus und
         umgekehrt; von daher ist Apg ein integraler Bestandteil der lk
         Jesusbiographie und eine gesonderte Gattungsbestimmung der Apg
         – wie etwa *Conzelmann-Lindemann 1979, 30, 35 f* als »historische
         Monographie« und ähnlich trotz aller Ratlosigkeit letztlich auch *H.
         Zimmermann, Neutestamentliche Methodenlehre, Stuttgart* [6]*1978,
         144 f* – entspricht nicht der lk Intention);

Typ E   Biographie als Einführung und/oder Interpretationsschlüssel zu
         dem Lehrgebäude des Lehrers bzw. der Gesetzgebung des betr.
         Herrschers (dieser Typ hat Mt 28,18 ff deutlich auch auf Mt
         eingewirkt; dieser Schluß ist weder als Missions- noch als
         Taufbefehl zu klassifizieren, sondern als absoluter Buchrezeptions-
         befehl). Vgl. zu Mk *Talbert 1978, 42, 120–122, 134;* zu Mt *ebd. 41 f,
         108, 122, 134 f;* zu Lk-Apg *ebd. 41, 107 f, 119 f, 134;* zu Joh *ebd.
         75–79, 122 f, 135.*

Von besonderem Interesse ist die Ausgestaltung von Typ E in der zweibändigen
Herrscherbiographie des Philo, De Vita Mosis, da sie offenkundig integraler

Bestandteil und interpretativer Schlüssel des ersten Hauptwerkes Philos, der »Darstellung des Gesetzes« ist: Es finden sich nicht nur in den beiden Schlußtraktaten der »Darstellung des Gesetzes« (neben dem Rückblick auf das Ganze in Praem 1–3) zwei ausdrückliche Rückverweise auf die VitMos (also nicht nur einmal im vorletzten Traktat Virt 52, wie *H. Hegermann, Philon von Alexandria.* In: *J. Maier-J. Schreiner (hg.), Literatur und Religion des Frühjudentums, Würzburg-Gütersloh 1973, 353–369, 359* angibt, sondern nochmals im Schlußtraktat Praem 53–56), sondern in VitMos 2,45–47 auch ein entsprechender Vorverweis (was *Hegermann ebd.* auch nicht berücksichtigt hat). Hat der gebildete heidnische Leser die Propagandaschrift erster Stufe, die Mosebiographie, gelesen, so wird er aufgefordert, als zweite Stufe sich die »Darstellung des Gesetzes« als Darstellung der Ideale des Judentums vorzunehmen *(Talbert 1978, 97, 104f;* vgl. *E. R. Goodenough, Philo's Exposition of the Law and his De Vita Mosis, HThR 26, 1933, 109–125; ders., An Introduction to Philo Judaeus, New Haven 1940, 37–54; F. H. Colson, Philo (LCL 7), London 1950, XIV (General Introduction).*

Daran lassen sich weiterführende Überlegungen für mögliche Fragestellungen knüpfen. Wenn schon Kol und Eph nacheinander als testamentarische, deuteropaulinische Einleitungen zu Sammlungen von Paulusbriefen verfaßt wurden, hat dann Marcions Kanonzusammenstellung Lukas als hermeneutische Einleitung für die Paulusbriefe verwendet?

Schrieb Mk seine Jesusvita etwa als Einleitung zu Q, was dann die Vollaufnahme von Q in den Großviten Mt und Lk unabhängig voneinander als weitere Schritte auf dem einmal angetretenen Wege am ehesten verständlich werden ließe? Oder war schon die vormarkinische Jesushaggada eine solche Einleitung zur Jesushalacha von Q, was dann am ehesten erklärlich machte, warum die markinische Redaktion Einzelstücke in deutlich kritischer Frontstellung gegen die weisheitsmythische Q-Redaktion bewußt abändernd übernahm (Schenk 1979)? Oder aber hat man bei der Suche nach einer Antwort in dieser Fragerichtung von der Funktion der alttestamentlichen Zitate auszugehen? Wenn damit gerechnet werden muß, daß erst das rabbinische Judentum nach und wegen der Tempelzerstörung im Jahre 70 die Tendenz ausbaute, halachische Verhaltensregulierungen midraschartig aus dem, was »Schrift« geworden war, zu legitimieren *(K. Berger, Die Gesetzesauslegung Jesu I. Markus und die Parallelen (WMANT 40), Neukirchen 1972, 13f, 199ff; J. Maier.* In: *Maier-Schreiner 1973, 11f, 57–59; E. P. Sanders, Paul and Palestinian Judaism. A Comparison of Patterns of Religion, London 1977, 68f),* mithin dieser auch in Q noch völlig abwesende Stilzug in der ältesten Jesusbiographie des Markus im Rahmen der biographischen Funktion selbst als »ein Sich-Einlassen auf die Position des Gegners mit z. T. untauglichen Mitteln« ist *(Berger 1972, 176)* vgl. *S. Schulz, Markus und das Alte Testament, ZThK 58, 1961, 184–197; A. Suhl, Die Funktion der alttestamentlichen Zitate und Anspielungen im Markusevangelium, Gütersloh 1965, 67–96; W. S. Vorster, The Function of the Use of Old Testament in Mark, Neotestamentica 14, 1981, 83–98,* der die makrosyntaktische Einbettung in die narrative Vorhersage-Erfüllung-Kompositionstechnik herausstellt), dann erhebt sich die Frage, ob Mk seine Jesusbiographie nicht auch als hermeneutische Einleitung (als Verstehensschlüssel) zu der von den Christen reklamierten LXX geschrieben haben kann. Nicht umsonst setzt er wohl Mk 1,2 f mit einem von ihm als Verfasserzitat erweiterten AT-Zitat aus Q ein (Mt 11,10) in engster Beziehung zu seiner *euaggélion*-Überschrift von 1,1.

Zeigt die Erweiterung dieses Komplexes durch die Reflexionszitate der tritopetrinischen Jesusbiographie des Mt nicht ebenso wie sein Einsatz mit der Genealogie von Abraham her (1,2 ff) eben dieselbe Funktion an, da die Erfüllungszitate bei Mt nie die Funktion haben, den durch und durch hoheitlich gezeichneten Jesus erst verständlich oder einsichtig zu machen *(W. Rothfuchs, Die Erfüllungszitate des Matthäus-Evangeliums (BWANT 88), Stuttgart 1969, 129f, 173 ;* vgl. *L. Hartmann, Scriptural Exegesis in the Gospel of St. Matthew and the Problem of Communication.* In: *M. Didier (hg.), L'Èvangile selon Matthieu (BETL 29), Gembloux 1972, 131–152)?*

Überwiegt bei der doppelbändigen Jesusvita des Lk im Schriftbeweis das Gefälle von der Erfüllung zur Weissagung das von Weissagung auf Erfüllung hin *(M. Rese, Alttestamentliche Zitate in der Christologie des Lukas (StNT 1), Gütersloh 1969 ; F. Bovon, Luc le Theologien (1950–1975), Neuchâtel-Paris 1978, 2. Kap.),* dann dürfte für ihn weniger die »Schrift« als wesentliche Verstehenshilfe für die christliche Gegenwart betrachtet worden sein als umgekehrt seine Jesusbiographie als die wesentliche Verstehenshilfe für die Schrift. Bedient er sich darum so auffallend des »LXX-Stils«, weil er sein Doppelwerk áls Abschluß der LXX und zugleich als Einführung in ihre in seinem Sinne »christliche« Leseweise versteht ? Läßt sich so das lk Täuferbild in seiner Bindegliedfunktion besser entschlüsseln als durch das in Aporien führende Konzept einer lk Heilsgeschichte ? Natürlich kann ein Tor immer mehr fragen als tausend Weise beantworten können. Doch nehme man diese Fragen als Arbeitshypothesen, um zu untersuchen, wie weit sie der Falsifizierung standhalten oder nicht.

36 Ausgehend von Beobachtungen der syntagmatischen Oberflächenstruktur hatte *R. Bultmann, Bekenntnis- und Liedfragmente im ersten Petrusbrief, CNT 11, 1947, 1–14, 10–12 (= ders. Exegetica, Tübingen 1967, 285–297, 293–295 ;* vgl. *ders., 1968, 107f) in* verschiedenen Texten ein gleichartiges Formschema entdeckt, bei dem der Gegensatz »Verborgenheit/Offenbarung« mit dem Gegensatz »Einst/Jetzt« verbunden war. In daran anschließenden formgeschichtlichen Überlegungen hat *N. A. Dahl, Formgeschichtliche Beobachtungen zur Christusverkündigung in der Gemeindepredigt.* In: *Neutestamentliche Studien für R. Bultmann (BZNW 21), Berlin 1954 (=²1957), 3–9 4f* dies als einen neuen Typ von Gemeindepredigt zu werten vorgeschlagen. Um eine weiterführende traditionsgeschichtliche Erhellung hat sich *D. Lührmann, Das Offenbarungsverständnis bei Paulus und in paulinischen Gemeinden (WMANT 16), Neukirchen 1965,* 124–133 erfolgreich bemüht (vgl. zusammenfassend *R. Bultmann–D. Lührmann Art. faneróō, ThWNT 9, 4f, Stuttgart 1973 ;* zustimmend *H. Conzelmann, Grundriß der Theologie des Neuen Testaments (EEvTh 2), München ³1976, 107 ;* vgl. *E.*

Lohse, Die Briefe an die Kolosser und an Philemon (KEK 9/2), Göttingen 1968, 119f; E. Schweizer, Der Brief an die Kolosser (EKK 12), Zürich–Neukirchen 1976, 87f; Conzelmann–Lindemann 1979, 108).

Das dem Revelationskonzept zugrundeliegende Prinzip formuliert 4Esr 9,5f: »Wie (= weil) alles, was in der Welt geschehen ist, einen (verborgenen) Anfang in (Gottes Schöpfer-)Wort, aber ein offenkundiges Ende (consummatio in manifestatione) – so (= darum – hier folgt die Anwendung) auch des Höchsten Zeiten: Ihr Anfang in Rede (= den Verheißungen an die Propheten von V. 4) und Zeichen ihr Ende aber in Taten und Wundern.« Dieselbe Doppelstruktur hat auch die sekundäre Ausdeutung der 2Bar 53 vorliegenden Vision in dem einleitenden Gebet um Deutung 2Bar 54, 1–3 (Prinzip) im Verhältnis zu 4–6 (Anwendung). Es geht seit Dan 2,28f um den von Ewigkeit an verborgenen Heilsplan, dessen term. techn. »Geheimnis« ist, der nun offenbart wird (zum aramäischen *rāz* als Kernbegriff der Apokalyptik vgl. den grundlegenden Beitrag von *I. Willi-Plein, Das Geheimnis der Apokalyptik, VT 27, 1977, 62–81).* 1QpHab 7,4f u. ö. sind dem priesterlichen More-Sädäk (»Lehrer der Gerechtigkeit«?) jetzt die Geheimnisse der Propheten kundgetan (vgl. 1QH 4,27f; zum Zusammenhang der literarischen Gattung des fortlaufenden Pesher-Midraschs mit dem Revelationskonzept vgl. *M. P. Horgan, Pesharim: Qumran Interpretations of Biblical Books (CBQ MS 8), Washington 1979; W. H. Brownlee, The Midrash Pesher of Habakkuk (SBL MS 24), Missoula 1979).*

In der 3. Bildrede 1Hen 63,3 steht ein vergeblicher eschatologischer Lobpreis der realisierten »Geheimnisse«. Nach der 7. Vision 4Esr 14,4–5 wurden nach Dtn 5 zwar schon alles – auch die Geheimnisse der Zeiten – offenbart, doch nur die *tora* veröffentlicht, während das apokalyptische Geheimwissen bis jetzt geheimgehalten wurde. Als ein »bis auf diesen Tag verborgenes Geheimnis« führt auch Poimandres CH 1,16f ein mittelplatonisches Traditionsstück ein (vgl. *E. Haenchen, Aufbau und Theologie des »Poimandres«. In: Ders., Gott und Mensch, Tübingen 1965, 335–377, 361f).* Von da her ist auch mit einem hellenistischen Einschlag bei der Übernahme in nachapostolischer Zeit zu rechnen (*Lührmann 1965, 126–131,* was *Lohse 1968, 119 Anm. 4* und *Stuhlmacher 1968, 79f Anm. 2* zu Unrecht bestreiten). Als wesentlich festzuhalten sind die zwei grundlegenden Feststellungen:

(a) Das Revelationsschema ist primär »nicht christologisch gemeint, sondern redet von der Verkündigung« (*Lührmann 1973, 5 Anm. 14),* wie man an den frühesten Verwendungen Kol 1,26f (vgl. 4,4); Eph 3,4f, 9f (vgl. 1,8–10; 5,13f); (Ps-)Röm 16,25–27 und in etwas aufgelöster, »freierer Form« in den Pastoralbriefen (neben 2Tim 1,10 und Tit 1,2 ist gegen Lührmann sogar 1Tim 3,16 wegen seiner Einleitung hierzu zu zählen) und 1Joh 1,2 ablesen kann. »Es spricht von der heilbringenden Vermittlung der Verkündigung durch einen bestimmten Offenbarungsträger« (*ebd.).* Dagegen ist die abgewandelte christologische Verwendung des Schemas, die später bestimmend wird (1Petr 1,18–20; Hebr 9,26; IgnMagn 6,1; Herm 89,2f; Barn 14,4f; 2Clem 14,1–3, wo zugleich eine Ausweitung auf die Kirche(!) stattfindet), deutlich sekundär aber einflußreicher gewesen.

Ebenso wichtig ist (b), daß das Revelationsschema nicht nur als ein neues Motiv unter anderen auftaucht, sondern in den deuteropaulinischen Schriften »zum tragenden Theologumenon« wurde *(ebd.)*, das auch deren Evangeliumsbegriff semantisch neu bestimmte. Dies zu akzentuieren ist deshalb nötig, weil die Verwendung, die Paulus einmalig 1Kor 2,6ff macht, eine deutlich gebrochene ist, die sich nur durch die Verwendung dieses Schemas bei den in Korinth abgewehrten Tendenzen erklären läßt: »sonst bleiben die Spannungen innerhalb des Textes unverständlich« *(ebd. Anm. 13 gegen H. Conzelmann, Paulus und die Weisheit NTS 12, 1965/66, 321–244, 239*; nach *M. Widmann, 1Kor 2,6–16: Ein Einspruch gegen Paulus, ZNW 70, 1979, 44–53* hätten wir es sogar mit einer nachträglichen Glosse korinthischer Enthusiasten zu tun). Zu allgemein gehaltene Beschreibungen wie daß es »in der Paulus-Schule beheimatet« sei *(Schweizer 1976, 87)* oder »aus apokalyptischer Überlieferung in die urchristliche Predigtsprache übernommen« wurde *(Lohse 1968, 119)* sind darum gefährlich, weil man dann leicht das Revelationsschema so wie *Stuhlmacher 1968* als urchristlich gesamtbestimmend veranschlagt und es im Anschluß an *E. Sjöberg, Der verborgene Menschensohn in den Evangelien (AHLL 53), Lund 1955,* für von Anfang an grundlegend bestimmt, um »die sich bei Paulus schon terminologisch abzeichnende(!), in den Deuteropaulinen klar hervortretende(!) Bezeichnung des Evangeliums als ›Mysterion‹ religionsgeschichtlich zu verstehen« (47, wobei das Argumentationsgefüge deutlich die Abwesenheit einer wissenschaftlichen Semantik belegt). Er folgt leider *Sjöberg 1955, 13* auch in dem zu holistischen Beschreibungssatz: »Wenn das (!) NT vom Evangelium als einem geoffenbarten Geheimnis redet, geht es vom Mysterien- und Offenbarungsbegriff der jüdischen Apokalyptik aus. Die(!) neutestamentliche Verkündigung des(!) Mysteriums läßt sich so gut wie vollständig von diesem Hintergrund aus verstehen... Der große Unterschied gegenüber der jüdischen Apokalyptik ist aber der, daß das(!) NT voraussetzt, daß das In-Erscheinung-Treten der bisher verborgenen Geheimnisse schon angefangen hat.« Doch der letztgenannte Unterschied besteht so nicht. Von Daniel über den qumranischen More-Sädäk bis zu 4Esr ist schon das Bewußtsein bestimmend, Teile des realisierten Gottesplanes mit ihrem Geheimwissen zu veröffentlichen.

Zu warnen ist auch vor der von *Lohse 1968, 118ff* und *Schweizer 1976, 86ff* im Anschluß an *Bultmann 1947* vollzogenen, vorschnell direkten und globalen christologischen Fassung des Konzepts, wobei die einschränkend differenzierenden Feststellungen Lührmanns übersprungen werden. Für Kol gilt, daß der Aorist von Kol 1,27 nicht gegen die hier vorliegende Primärbeziehung auf die »Verkündigung« ausgespielt werden kann, da ein Aorist des Briefstils vorliegt und sich auf das eben Kol 1,15–20 direkt mitgeteilte Mysterion bezieht, so daß dies nicht unbedingt eine christologische Ereignishaftigkeit (gegen *Schweizer 1976, 86*) impliziert und »die bereits verwirklichte Tat Gottes« (gegen *Lohse 1968, 120*) nicht das christliche Proprium gegenüber der Apokalyptik darstellt. Für Kol ist darum auf den unmittelbaren Evangeliumsbezug zu insistieren.

In bezug auf Paulus lautete die Hauptthese *Lührmanns 1965, 158*: »Paulus denkt in seinem Offenbarungsverständnis nicht von Dingen her, die offenbart werden – und also vorher verborgen gewesen wären –, sondern von dem Menschen unter Gesetz und Sünde, den das Offenbarungshandeln jeweils betrifft.« Dem ersten Satz des hier formulierten Ergebnisses, daß Paulus nicht vom Revelationsschema her zu erfassen ist, muß zugestimmt werden. Dagegen ist die im Nachsatz angegebene Prämisse als positive Fassung zu bestreiten, da sie Paulus noch zu sehr von der augustinisch-lutherisch-bultmannschen Prämisse her erfassen möchte, gegen die K. *Stendahl, Paul and the Introspective Conscience of the West, HThR 56, 1963, 199–215* und *Sanders 1977, 474 ff* begründeten Einspruch erhoben haben: Paulus denkt vielmehr mit allen ersten Christen vom Osterereignis her (1Kor 15,1–11).

Umgekehrt hat nun *Stuhlmacher 1968, 77 ff* gerade gegen den ersten Satz Lührmanns polemisiert, da er das Revelationsschema schon für Paulus maßgebend sein lassen wollte (ebd. 47). Falsch daran ist vor allem das zur Begründung ins Feld geführte Hauptargument, daß von alttestamentlichen Jahweepiphanien her (obwohl dies durchgehend Gerichtsepiphanien sind! vgl. *J. Jeremias, Theophanie. Die Geschichte einer alttestamentlichen Gattung (WMANT 10), Neukirchen 1965)* Ostern ein »In-Erscheinung-Treten Gottes« selbst *(ebd. 81)* für die ersten Zeugen gewesen sei. Obwohl 1Kor 15,20–28 das Gegenteil bezeugt, ist dieser Fehlschluß, der anachronistisch das spätere trinitarische Dogma in paulinische Texte einträgt, anscheinend ebenso geläufig wie unausrottbar. Damit meint Stuhlmacher außerdem »die oft verfochtene Identität von Evangelium und Missionspredigt zwar nicht negiert, aber hinter uns gelassen zu haben« (83), da Evangelium definiert wurde als »apokalyptische Prolepse des die Welt meinenden Heiles und Rechtes Gottes ins Wort und die unscheinbare Verhülltheit(!) einer apokalyptischen Botschaft hinein« (82 – dagegen ist bei Paulus 2Kor 4,3 f die gegnerische Behauptung der »Verhülltheit« des Evangeliums ein Zeichen verstockter Verdummung.

Damit wird (a) bei Stuhlmacher der übliche Fehler der Paulusinterpretation wiederholt, der die pragmatische Evangeliumskennzeichnung von Röm 1,16 f absolut setzt und von ihrer semantischen Grundlage Röm 1,3 f isoliert, statt textlinguistisch zu sehen, daß die pragmatischen Funktionen von Röm 1,16 f die linguistischen Konsequenzen des semantischen Gehalts von 1,3 f sind.

Ebenso wird (b) verkannt, daß Paulus strikt zwischen Evangeliumsausrichtung als Missionspredigt (Röm 1,16 Aorist als Absicht der Vergangenheit) und zwischenchristlicher Paraklese als Gemeindeverkündigung (Röm 1,11 f als davon unterschiedener gegenwärtiger Absicht) unterscheidet (vgl. *M. Kettunen, Der Abfassungszweck des Römerbriefes, ThLZ 103, 1978, 616 f*; für die Durchsetzung der Einsicht in den Informationscharakter des Evangeliums im apostolischen Sinne hat sich auch *Chr. Burchard, Formen der Vermittlung christlichen Glaubens im Neuen Testament, EvTh 38, 1978, 313–340, 315–320* bemüht: »Paulus' Missionspredigt ist nicht verbalisierte Inspiration oder religiöse Einsicht. Sie gründet sich auf Texte ... Es ist eine feste Größe in »prinzipieller Unabänderlichkeit ... Deshalb spricht Paulus bei ihm, nicht beim Christusereignis selber, von Offenbarung ... Das Gesagte unterscheidet für den antiken Hörer das Evangelium als Nachricht übrigens nicht von anderen Nachrichten«). Auch *D. Zeller, Juden und Heiden in der Mission des*

Paulus. Studien zum Römerbrief (FzB 8), Stuttgart ²1976, 170 Anm 139 hält m. R. daran fest, daß *Lührmann 1965* ja schon eine doppelte Verwendung der Offenbarungsverben für die Apokalyptik herausgearbeitet hat, die klar voneinander abzuheben sind:

(a) endzeitliches In-Erscheinung-Treten (98 ff; vgl. Gal 3,23, wo *érchesthai* als synonym parallel steht, was dann wiederum auch für den weitergehenden Parallelismus 1Kor 15,35 erhellend ist wie für das christologische Partizip in Q Mt 3,11; 11,3; leider geht *T. Schramm, Art. érchomai, EWNT II*, Stuttgart 1980, 138–143 auf diese speziell apokalyptische Synonymsemantik nicht ein, sondern generalisiert zur »übertragenen Verwendung«);

(b) »vorweggebende Deutung verschlüsselter himmlischer Wirklichkeiten« (104 ff); *Stuhlmacher 1968 passim* (vgl. schon *ders., Gottes Gerechtigkeit bei Paulus (FRLANT 87)*, Göttingen ²1966, 79 Anm. 1) »scheint mir zu sehr die 2. Bedeutung zu strapazieren und kommt so zu seiner ›proleptischen‹ Auffassung des Evangeliums. Der erste Sinn ist im Röm 1,18; 2,5; 8,18 f belegt; dazu kommen noch *endeíxasthei* und *gnōrízein* 9,22 f; vgl. *éndeixis* 3,25 f« als »Verwirklichung«. Bei der Verkennung der »Realisierungs«-Bedeutung macht die auch darüber hinaus beklagte semantische Unschärfe Stuhlmachers bemerkbar (vgl. ebd. 29 f, wo *Zeller* Anm. 105 der Kritik *E. Güttgemanns'*, *Literatur zur Neutestamentlichen Theologie*, VuF 15/2, 1970, 41–75, 71 f zustimmt).

37 Vgl. *H. F. von Campenhausen, Die Entstehung der christlichen Bibel*, Tübingen 1968, 354–376

38 *N. C. Buzescu, Conceptul de ›Evenghelie‹ la Origen, St Teol 2. Ser. 30*, 1978, 216–230 (Abstract *J. Scharbert* IZBG 26, 1979/80, Nr. 1668) nach *E. Molland, The Conception of the Gospel in Alexandrinian Theology*, Oslo 1938, 86 ff; vgl. *R. P. C. Hanson, Origen's Doctrine of Tradition*, London 1954; *ders., Allegory and Event. A Study of the Sources and Significance of Origen's Interpretation of the Scripture*, London 1959.

39 *Von Campenhausen 1968, 363 f:* »Der wesentlichste Beitrag, den Origenes für die Theorie des Kanons geleistet hat, ist seine Lehre von der *Inspiration* der Schrift. Sie hängt mit seinem Gebrauch der allegorischen Methode aufs engste zusammen. Denn nur unter der Voraussetzung des unmittelbar göttlichen Charakters der Schrift gibt es ein Recht, nach einer höheren Bedeutung hinter dem buchstäblichen Sinn der Worte zu forschen, so wie umgekehrt der dadruch erschlossene Tiefsinn als Erweis der Göttlichkeit des Textes gilt. Insofern beruht der Glaube an die Inspiration des Kanons auf einem Zirkelschluß«. Doch täusche man sich nicht über die Wirkungsmächtigkeit dieses Fehlschlusses. Er wirkt heute auch dort noch nach, wo man zwar die Allegorese ablehnt, aber neben einer »historisch-kritischen« auch noch eine sogenannte »kirchliche Auslegung« fordert. Es gibt aber keine »kirchliche Exegese«, sondern nur eine verantwortbare oder unverantwortliche kirchliche Rezeption der exegetischen Ergebnisse.

40 Schon für Origenes »bleibt doch bedenklich, daß es immer nur das kirchlich

Gegebene und Bestehende ist, wofür er sich einsetzt« *(von Campenhausen 1968, 372)*. Die schon aus der vorchristlichen alexandrinischen Tradition übernommenen Prinzipien eines mehrfachen Schriftsinnes und »der daraus resultierenden fast schrankenlosen Herrschaft der allegorischen Methode« sind es, die »ungewollt zum universalen Mittel« werden, »den ›buchstäblichen‹ Sinn der Schrift nach Belieben zu verschleiern und nur das in ihr gelten zu lassen, was der fromme Leser schon im voraus erwartet und zu finden wünscht« *(ebd. 361)*.

41 *Ebd. 360 Anm. 252*; vgl. *374*: »Die allegorische Betrachtung nimmt der Bibel ihr Eigengewicht.« Doch man vergesse nicht, daß neben der Kategorie der Inspiration auch die dogmatischen Prinzipien der »Einheit, Unfehlbarkeit und Unerschöpflichkeit des Kanons« wie das hermeneutische Ziel einer »falschen Unmittelbarkeit« letztlich auf der vorchristlich-alexandrinischen Prämisse mittelplatonischer Prägung basieren.

42 *A. von Harnack, Die Entstehung des Neuen Testaments und die wichtigsten Folgen der neuen Schöpfung, Berlin 1914, 47f*; danach: *A. Jülicher–E. Fascher, Einleitung in das Neue Testament, Tübingen [7]1931, 272f*; *Bornkamm 1958, 749f*.

43 So bei *Vielhauer 1978, 254f*; *Conzelmann-Lindemann 1979, 30f*; *Schenke-Fischer 1979, II 13*. Die Konstanz zeigt sich bis in die gegenwärtigen Kommentartitel hinein, wo dieses »nach« (der Darstellung des ...) mit Ausnahme von Pesch für alle Markuskommentare noch bestimmend bleibt: *Schweizer (NTD 1) [5]1978*; *W. Grundmann (ThHK 2) [8]1980*; *J. Gnilka (EKK 2) 1978*; *W. Schmithals (ÖTK 2) 1979*. Da dasselbe für alle parallelen Bücher in diesen vier Reihen wie auch im RNT gilt, so läßt sich verdeutlichen, wie weit bei den Herausgebern wie Kommentatoren diese Auffassung reicht. Eine beachtliche Ausnahme bilden HNT, KEK und HThK. Man wird mir als Inkonsequenz vorwerfen, daß meine »Untersuchungen zur Überlieferungsgeschichte der Passionstraditionen« als *W. Schenk, Der Passionsbericht nach(!) Markus, Berlin/Gütersloh 1974*, erschienen sind, doch ist dieser Titel eine Aufnötigung des Verlags gewesen.

44 Vgl. für Origenes: *E. Klostermann, Apokrypha II (KlT 8), Bonn [2]1912, 4*, vgl. 5 für Euseb.

45 So gegen Harnack schon *W. Bauer, Rechtgläubigkeit und Ketzerei im ältesten Christentum, Tübingen 1934 (=1964), 54*; *W. Köhler EWNT II 627*.

46 So im Anschluß an Bauer *von Campenhausen 1968, 203 Anm. 118* und überhaupt 201 ff gegen Harnacks Voraussetzungen.

47 Zur wissenschaftstheoretischen Verhältnisbestimmung vgl. die Frankfurter Antrittsvorlesung von *J. Habermas, Erkenntnis und Interesse. In: ders., Technik und Wissenschaft als »Ideologie« (EdS 287), Frankfurt 1968, 146–168*, und die ausführliche Entfaltung: *Ders., Erkenntnis und Interesse, Frankfurt 1968*.

48 Vgl. neben *Kramer 1963, 16–22, 27–34, 41–60* die präzisierende Weiterführung mit noch stärkerer Betonung der ursprünglichen Selbständigkeit der Auferweckungsformel bei *K. Wengst, Christologische Formeln und Lieder des Urchristentums (StNT 7)*, Gütersloh 1972, 27–48, 92–104.

49 *Ebd. 22–24; Wengst 1972, 78–86*, der 27 Anm. 29 auch m. R. darauf hinweist, daß Kramers Bezeichnungen beider Teile als »Splitter« (18, 22, 23) der »vollen Pistisformel« (24) nicht den von ihm selbst geführten Nachweisen entsprechen. Sie sind darum nicht einmal im Sinne ihres Erfinders beschreibungsadäquat definiert. Wie gefährlich dies forschungslogisch ist – da falsche Begriffe ein falsches Denken machen können – beweist die pauschalisierende Einebnung der herausgearbeiteten Differenzierungen durch *Vielhauer 1978, 14–22*, der unter der Kategorie von Kramers »Pistisformeln« drei Klassen (Auferweckungsformeln, Sterbensformeln, kombinierte Formeln) zusammenfaßt, wobei die spezielle Gestalt und Funktion der Sterbensformeln ebenso zu kurz kommt wie die übergreifende Kategorie mit einem bedenklichen Präzisionsverlust erweitert wird. Zu einer weiteren De-Profilierung führt dabei weiter die Tatsache, daß Vielhauer ebd. *16–18* die »Dahingabe-Formeln« einfach den »Sterbensformeln« zuordnet, wobei die Analysedifferenzen zwischen *Kramer 112–120* und *Wengst 55–77* unaufgearbeitet bleiben und die wichtige Spezialmonographie von *W. Popkes, Christus traditus. Eine Untersuchung zum Begriff der Dahingabe im Neuen Testament (AThANT 49)*, Zürich 1967, schon in der Literaturangabe unberücksichtigt bleibt.

50 Darauf verweist auch *Wengst 1972, 79* m. R., wenn man von der Dahingabeformel-Kombination Röm 4,25 erst einmal absieht, die aber auch deutlich redaktionell sein dürfte *(Kramer 26 f gegen Wengst 101–103)*.

51 *Kramer 1963, 29*: »Die Auferweckung wurde ursprünglich als Gottes Handeln und erst nach und nach als Jesu eigenes Tun verstanden.« Das zweite gilt erst für das mythologische Jesus-Konzept des vierten Evangeliums, wo Ostern mit dem nicht als Passion verstandenen Todesweg zusammen ein Teil der Heimkehr und Wiederverherrlichung ist und somit Joh 10,17 f eine Selbstauferweckung Jesu lehren kann. Darum ist es ungerechtfertigt, bei der Verwendung von intransitivem *anastênai* 1 Thess 4,14 schon von einer »Auferstehungsformel« zu reden; denn Jesus ist zwar grammatisches Subjekt, doch da es sich nicht um ein Handlungs-, sondern um ein Zustandsverb handelt, so ist Gott als logisches Subjekt gedacht – wie im übrigen genau diese Fortsetzung in V.14 b beweist (dasselbe gilt für die analoge Variante Röm 14,9 sowie später für die Menschensohnvariante Mk 8,31; 10,34). Lukas seinerseits gebraucht *anistánai* ohnehin transitiv mit Gott als Subjekt (Apg 2,24.32; 3,36; 13,33 f; 17,31) und dies ohnehin alternierend zur Auferweckungsformulierung (Apg 3,15; 4,10; 5,30; 10,40; 13,30.37), während sich die intransitive Verwendung Apg 10,41; 17,3 wie in den vorgenannten Fällen als Zustandsverb erklärt: *H. Braun, Zur Terminologie der Acta von der Auferstehung Jesu, ThLZ 77, 1952, 533–536, 533 f = ders., Gesammelte Studien zum Neuen Testament und seiner Umwelt*, Tübingen 1962 (=²1967), 173–177, 173 f; U.

*Wilckens, Die Missionsreden der Apostelgeschichte. Form- und traditionsge-
schichtliche Untersuchungen (WMANT 5), Neukirchen 1961 (= ²1963), 138 f;
Kramer 1963, 25; Wengst 1972, 48; J. Kremer EWNT I, Stuttgart 1980,
210–221, 218–220.* Darum ist die Wiederaufnahme von 1 Kor 15,4 f in Lk 24,34
falsch aufgelöst, wenn *Kramer 1963, 29 Anm. 57* behauptet, daß vom zweiten
Verb her »nicht Gott Subjekt« des ersten sei und hier erstmalig eine
Auferweckung als Jesu eigenes Tun belegt sei. Das Gegenteil ist richtig: Für
Lukas ist immer Gott Subjekt der Auferweckung – hier auch als logisches
Subjekt des Passivs. Will man nicht einen Subjektwechsel in der Rede der
Jerusalemer annehmen, dann ist auch im lukanischen Sinne für das zweite
Verb Gott als Subjekt (»sehen lassen«) anzunehmen, was aber bedeutet, daß
Lukas es unbeschadet der aus 1 Kor 15,5 übernommenen Oberflächenstruktur
und der dort gemeinten semantischen Tiefenstruktur nun seinerseits als Passiv
verstanden hat und eben nicht im Sinne von »erschienen«. Nur die
Abwesenheit präziser semantischer Analysekategorien machte das Mißver-
ständnis bei Kramer möglich.

52 *Kramer 1963, 34–40:* »Die Sterbensaussage ist in paulinischer Zeit
eindeutig mit *Christós* verbunden.« *N. A. Dahl, Der gekreuzigte Messias.* In:
*H. Ristow–K. Matthiae (hg.), Der historische Jesus und der kerygmatische
Christus, Berlin 1960, 149–169, 160–163, 166–168* hat auf diesen Zusammenhang hingewiesen und ihn historisch von der Anklage gegen Jesus und der
Kreuzesinschrift her erklären wollen. Wenngleich dieser Haftpunkt richtig
bestimmt ist, so sagt das aber noch nichts über den semantischen Gehalt von
»Christós« in unserem Zusammenhang aus. Daß der Gebrauch jedenfalls ein
eingeschränkter war, der nicht in all und jedem Zusammenhang auftauchte,
wie wir das heute leicht vermuten, ergibt sich schon daraus, daß es in Q völlig
fehlt.

53 Die Differenz zwischen der Dreigliedrigkeit dieser Formel im Unterschied
zur Viergliedrigkeit der Auferweckungsformel hängt damit zusammen, daß
– in der Terminologie der Prädikatenlogik ausgedrückt »Sterben« eine
1-stellige Prädikat-Konstante (also ohne Objekt), »Auferwecken« dagegen
eine 2-stellige Prädikatkonstante (Objekt zur Vollständigkeit notwendig) ist,
eine Differenz, die semantisch in allen analogen Fällen beachtet werden will,
und die deutlich macht, daß eine isolierte Wort-Semantik nicht möglich ist: *R.
Freundlich, Sprachtheorie. Grundbegriffe und Methoden zur Untersuchung
der Sprachstruktur, Wien–New York 1970, 104 ff.*

54 *Kramer 1963, 30;* daß *E. Fuchs, Marburger Hermeneutik, Tübingen 1968,
130 Anm. 26* nur grundsätzliche Einwände gegen den »hermeneutischen
Ansatz« von Kramer erhebt, verwundert nicht, da seine Vorordnung des
Zusage- vor dem Informationscharakter (Pragmatik vor Semantik) verbunden
mit der Prämisse der behaupteten hermeneutischen Überwindung des
angeblichen Herrschaftscharakters des vorstellenden Denkens an den Erhebungen Kramers scheitern muß.

55 *Ebd. 37, 39.*

56 *Wengst 1972, 83* als Kennzeichen späterer Entstehung.

57 *Ebd. 79 Anm. 6:* Das geschieht nur in dem abgewandelten Reflex der Sterbensformel 1Kor 1,13, und dort auch nur darum, »weil er im folgenden gleich ausführlich über das Kreuz reden will«. Paulus wählt diese Formulierung nicht beliebig; er wählt sie schon gar nicht, um soteriologische »Heilsaussagen« zu machen, sondern nur dann, wenn er das »Vernichtende« des Christusereignisses kennzeichnen will. Dies ist die entscheidende semantische Komponente, wie *H.-W. Kuhn, Jesus als Gekreuzigter in der frühchristlichen Verkündigung bis zur Mitte des 2. Jahrhunderts, ZThK 72, 1977, 1–46* gezeigt hat; zustimmend *Chr. Burchard 1978, 316,* vgl. *Anm. 16:* »Die beliebte Metapher ›unter dem Kreuz stehen‹ oder ›unter das Kreuz treten‹ paßt zu Paulus' Theologie eigentlich nicht.« Entfaltet wird diese Einsicht in paulinische Aussagestrukturen auch bei *P. von der Osten-Sacken, Die paulinische theologia crucis als apokalyptische Theologie, EvTh 39, 1979, 477–496, 483 f:* »Die Kreuzigungsaussage(n) als solche« sind als Aussagen »über das Wirken des Geistes zu begreifen«, des »vernichtenden Geistes« – also hinsichtlich des Zerstörungs- und Tötungsaspekts des Auferweckten; vgl. schon *ders., Römer 8 als Beispiel paulinischer Soteriologie (FRLANT 112),* *Göttingen 1975, 187 f.* Man kann aber leider fast voraussagen, daß überall da, wo das Syntagma aus 1Kor 1,18 »Wort vom Kreuz« zitiert wird, dies nicht im paulinischen Sinne des Vernichtenden, sondern im Sinne des abendländisch-Soteriologischen geschieht. Die sogenannte »theologia crucis« kann also sehr Verschiedenes meinen. Ein Buchtitel wie *F. Viering (hg.), Das Kreuz Jesu Christi als Grund des Heils, Gütersloh 1967,* ist so kirchlich geläufig wie er unpaulinisch ist. Reichlich apokryph spricht *O. Knoch (ThRv 77, 1981, 183)* dann schließlich sogar von »Erscheinungen des Gekreuzigten« (in einer Rezension von *H. Köster, Einführung in das Neue Testament, Berlin 1980* – ohne daß dieser Ausdruck von dem besprochenen Buch verwendet worden ist).

58 *Kramer 1963, 32.*

59 *Ebd. 47;* vgl. für das Verb *euaggelízesthei* Gal 1,8 f: »Es geht also bei diesem absoluten Gebrauch des Verbs um den Inhalt der Botschaft, wie er in der Pistisformel zusammengefaßt ist.« (49).

60 *Sanders 1977, 442:* »In saying that one of Paul's principal convictions is that God has provided for salvation in Christ, I intend to exclude one of the traditional of setting up the discussion of Paul's theology: by describing first the plight of man to which Paul saw Christ as offering a solution. This is the way chosen by Bultmann, Conzelmann and Bornkamm, for example.« *443:* »Paul's thought did not run from plight to solution, but rather from solution to plight.« *444:* »He did not start from man's need, but from God's deed ... The content of the preaching and the faith what was preached and believed, is the resurrection.« vgl. *481 f, 499 f.* Eine der verhängnisvollsten Weichenstellungen für das Mißverständnis des Paulus in der lateinisch-westlichen Dogmenentwicklung war die Einführung der Kategorie der »Heilsnotwendigkeit« aus der

lateinisch-römischen Salutalogie; vgl. *C. Andresen, Art. Erlösung, RAC VI,*
163–184; N. Brox, Soteria und Salus, Evth 33, 1973, 253–279; G. Greshake,
Der Wandel der Erlösungsvorstellungen in der Theologiegeschichte, ThJb(L)
1976, Leipzig 1976, 171–195 (= In: L. Scheffczyk (hg.), Erlösung und
Emanzipation (QD 61), Freiburg 1973, 69–101), 182–190: »Gerade indem das
Christentum die alte römische re-ligio ablöste, mußte die christliche Erlö-
sungslehre auch Funktionen der bisherigen römischen ›Salutalogie‹ übernehmen, d. h., sie mußte die ›salus publica‹ garantieren« *(182 Anm. 44).*

61 *Kramer 1963, 51.59;* vgl. *W. Schmithals, Das kirchliche Apostelamt*
(FRLANT 81), Göttingen 1961 (doch ist seine 245–247 vollzogene Ableitung
aus einer Gesandtenvorstellung des gnostischen Mythos ebensowenig überzeugend wie die von ihm 87–99 m. R. abgelehnte übliche Herleitung vom
jüdischen »Schaliach-Institut«, wie sie *K. H. Rengstorf ThWNT 1,414–424*
repräsentierte); *G. Klein, Die zwölf Apostel (FRLANT 79), Göttingen 1961; J.*
Roloff, Apostolat – Verkündigung – Kirche, Gütersloh 1965; P. Stuhlmacher,
Evangelium – Apostolat – Gemeinde, KuD 17, 1971, 28–45; F. Hahn, Der
Apostolat im Urchristentum. Seine Eigenart und seine Voraussetzungen, KuD
20, 1974, 54–77 und zuletzt *J.-A. Bühner EWNT I, 340–342, 342–351* im
Anschluß an die Untersuchungen seiner Diss., wobei die Gefahr besteht, daß
die dankenswerterweise herausgearbeiteten Strukturen des Gesandtschafts-
Wortfeldes Spezifika der jeweiligen Anwendung dieses Musters nicht stark
genug hervortreten lassen. Zur weiterführenden Diskussion des lk Apostolat-
begriffs nach *Klein 1961* vgl. jetzt die konstruktive Zusammenfassung von *E.*
Grässer, Acta-Forschung seit 1960, ThR 41, 1976, 259–290, 276–284.

62 *Kramer 1963, 23, 41–44;* darum irrt *Vielhauer 1978, 14, 18* und führt irre,
wenn er unter oberflächlicher Berufung auf Gal 2,16f.20 dies bestreitet und
auch die Sterbensformel als Pistisformel ausgeben will und postuliert, daß auch
diese eine ursprüngliche Einleitung *pisteúomen hóti* zu postulieren sei. Damit
wird (a) verkannt, daß die Sterbensformel eigene Herkunft, eigene Bedeutung,
eigene Struktur und eigene Funktion hat; (b) wird die Tatsache des Kontextes
von Gal 2,20 abgeschwächt, daß hier nur ein Nachklang der Sterbensformel in
Gestalt einer partizipialen Prädikation vorliegt; (c) wird von einem unpaulini-
schen Glaubensbegriff ausgegangen, sofern typischerweise die postulierte
Einleitung im Präsens formuliert wird, wobei der für Paulus kennzeichnende
Aorist des Verbs nicht beachtet wird; (d) ebensowenig sind die analogen
Wortfeldzusammenhänge mit den Komplenymen »Apostel« und »Evange-
lium« einschließlich der Synonyme in Betracht gezogen.

63 *W. Wrede, Über Aufgabe und Methode der sogenannten Neutestamentli-*
chen Theologie, Göttingen 1897, 22, Anm. 1; vgl. ebenso eine Generation
später die Beobachtungen von *E. Lohmeyer, Grundlagen paulinischer*
Theologie (BHTh 1), Tübingen 1929, 62–156, 115f: Bei Paulus ist das Nomen
mehr als doppelt so häufig wie das Verb und bei beiden Ausdrücken ist der
absolute Gebrauch der häufigste; »in der nominalen Verwendung findet sich
verhältnismäßig selten die Verbindung mit persönlichen Fürwörtern, niemals

mit ›mein‹ oder mit ›unser‹, häufiger mit ›euer‹.« Selbst in der verbalen
Verwendung »begegnet niemals ein Ausdruck ›ich glaube‹, der dem Luther-
schen Bekenntnis entspräche. Selten ist sogar das Wort ›wir glauben‹ oder ›ihr
glaubt‹, etwas häufiger schon der Hinweis auf Abraham, der ›glaubte‹, und am
häufigsten die fast technisch ein Nomen vertretende Wendung ›die Glauben-
den‹« (partizipial 13mal). »Schon aus solcher knappen und äußerlichen
Übersicht gewinnt man den Eindruck, daß das Wort weniger die Fülle des
Erlebens bezeichnet, aus der der Mund überfließt, weil das Herz ihrer übervoll
ist, sor dern stärker einen gegenständlichen Sachverhalt, auf den das gläubige
Ich sich richtet und in dem es sich gründet.« Diese semantischen Differenzen
wurden wiederum eine Generation später virulent bei *H. Binder, Der Glaube
bei Paulus, Berlin 1968*, der damit das Ende der Herrschaft eines Verständnisses des paulinischen Glaubensbegriffes einleitete, wie es von *Bultmann 1968,
315–331; ders. ThWNT VI, 1959, 218–224*, vertreten wurde: vgl. *W. Schenk,
Die Gerechtigkeit Gottes und der Glaube Christi. Versuch einer Verhältnisbestimmung paulinischer Strukturen, ThLZ 97, 1972, 161–174; ders. Art.
Glaube ntl.* In: *H.-H. Jenssen–H. Trebs (hg.), Theologisches Lexikon, Berlin
1978, 173f* (=²*1981, 220f* – wenngleich dort leider die Herausgeber die
profilierenden semantischen Differenzierungen gestrichen haben); *G. M.
Taylor, The Function of PISTIS CHRISTOY in Galatians, JBL 85, 1966, 58–76;
J. J. O'Rourke, Pistis in Romans, CBQ 35, 1973, 188–194; D. Lührmann,
Glaube im frühen Christentum, Gütersloh 1976; Sanders 1977, 490–493; A. J.
Hultgren, The Pistis Christou Formulation in Paul, NT 22, 1980, 248–263.*

64 Vgl. die konkretisierenden Strukturbestimmungen bei *K. P. Donfried,
Justification and Last Judgement in Paul, ZNW 67, 1976, 90–110* (=*Interpr
30, 1976, 140–152*).

65 *Kramer 1963, 38 Anm. 85*; gegen *H. Ridderbos. Paulus, Wuppertal 1970,
51* meint das Verb nicht etwa »rehabilitieren« (bzw. in seiner wahren
Bedeutung offenbaren), sondern die Einsetzung zum Mitregenten (vgl. das
Verb Lk 22,22; Apg 2,23; 10,42; 11,29; 17,26.31; Hebr 4,7; IgnEph 3,2): *C. E.
B. Cranfield, The Epistle to the Romans (ICC), Edinburgh* ²*1977, I, 61f; E.
Käsemann, An die Römer (HNT), Tübingen* ⁴*1980, 8–11; H. Schlier, Der
Römerbrief (HThK 6), Freiburg 1977, 22–27; U. Wilckens, Der Brief an die
Römer (EKK 6/1), Zürich–Neukirchen 1978, 56–61, 64f.*

66 Vgl. den Nachweis bei *W. Schenk, Textlinguistische Aspekte der Strukturanalyse – dargestellt am Beispiel 1Kor 15,1–11, NTS 23, 1975/76, 464–475;*
die Verständnislosigkeit, mit der man mit den geläufigen kirchlichen
Traditionen dieser Sachlogik gegenübertritt, spiegelt sich darin, daß *Käsemann
1980, 6* es »sehr merkwürdig« findet, daß »Evangelium« hier mit den
typischen Verben der Lehrüberlieferung verbunden« ist. Das ist im höchsten
Grade bemerkenswert und alles andere als »merkwürdig«.

67 *A. Schaff, Einführung in die Semantik, Berlin 1966* (=*Reinbek 1973*),
Nachwort 337; zustimmend: *Th. Lewandowski, Linguistisches Wörterbuch
2 (UTB 201), Heidelberg* ²*1976, 437f*; grundlegend: *R. Carnap, Logische*

Syntax der Sprache, Wien 1934 (=²1968); ders., *Bedeutung und Notwendigkeit. Eine Studie zur Semantik und modalen Logik*, Wien 1972; vgl. dazu V. Kraft, *Der Wiener Kreis*, Wien ²1968, 12ff, 58ff; L. Krauth, *Die Philosophie Carnaps*, Wien 1970, 18ff, 139ff.

68 Schon *Carnap 1934*, 250ff beschreibt die Anwendung für einzelne Fachwissenschaften.

69 Ju. D. Apresjan, *Ideen und Methoden der modernen strukturellen Linguistik (SSp 12)*, Berlin ²1972, 107–113; vgl. die Beschreibung der Sprachfeldstruktur axiomatischer Systeme wie der Physik: J. M. Bocheński, *Logik der Religion*, Köln 1968, 54–58; die Theologie als der Physik analoges axiomatisches System: *ebd. 58–64.*

70 Zum Verhältnis von sprachlich ausgedrückter Sachlage und realem Sachverhalt: L. Wittgenstein, *Tractatus logico-philosophicus*, Frankfurt 1963, 4.024; in Anwendung auf Textprobleme: K. Stierle, *Text als Handlung (UTB 423)*, München 1975, 98ff; ders., *Die Einheit des Textes*. In: *Brackert-Lämmert 1977*, 168–187; H. U. Gumbrecht, *Fiktion und Nichtfiktion, ebd. 188–209.*

71 R. Bultmann, *Glauben und Verstehen I*, Tübingen ⁸1980, 54f: »Ich kann den Text nur verstehen als den Versuch, die Auferstehung Christi als ein objektives historisches Faktum glaubhaft zu machen«, worin er gegen K. Barth sicher im Recht ist. Zu den damit gesetzten Problemen: W. Schenk, *Wort Gottes zwischen Semantik und Pragmatik*, ThLZ 100, 1975, 481–494; zur Streubreite des pragmatisch-illokutionären Potentials des semantisch-lokutionären Gehalts von 1Kor 15,5–8 und die jeweils partiale Realisierung, s. o. meinen Anm. 66 angegebenen Aufsatz.

72 Vgl. W. Schenk, *Predigtmeditation 1Kor 15,12–20*, EPM 6, 1977/78, 126–130; ders; 1979 (*Korintherbriefe*), 94f.

73 Vgl. zu dieser Unterscheidung die Debatte über die Verifikations- und Falsifikationsgrundlagen empirischer Aussagen im Wiener Kreis Anfang der dreißiger Jahre: *Kraft 1968*, 105–121 und 184–192 zum Fortgang der Debatte; grundsätzlich: J. M. Bocheński, *Die zeitgenössischen Denkmethoden*, München ⁶1973, 104–112; ders. 1968, 75–76 zur Anwendung auf die Theologie.

74 Paulus bezeugt in dem letztgenannten Abschnitt am deutlichsten, daß ihm die auf Aristoteles zurückgehende Grundeinsicht vom Schichtenbau der Welt bekannt ist und daß er sie nicht nur teilt, sondern auch auf Ostern anwendet. Darum ist es angemessen, ihn von daher und nicht platonisierend zu verstehen. Die damit gestellte heutige Aufgabe der Theologie besteht darum darin, ihre Aussagen im Zusammenhang einer wissenschaftlichen Ontologie zu verantworten, wie sie umfassend zuletzt die vierbändige Ontologie von N. Hartmann ausgearbeitet hat: *Bd. I Zur Grundlegung der Ontologie*, Berlin ⁴1965; *Bd. II Möglichkeit und Wirklichkeit*, Berlin ³1965; *Bd. III Der Aufbau der realen Welt*, Berlin ³1964; *Bd. IV Die Philosophie der Natur*, Berlin 1950;

ferner *ders., Das Problem des geistigen Seins. Untersuchung zur Grundlegung der Geschichtsphilosophie und der Geisteswissenschaften*, Berlin ²1949; zusammenfassend: *ders., Einführung in die Philosophie, Osnabrück* ⁵1960, 120–144; einführend: *J. Klein, N. Hartmann. Rede gehalten bei der Trauerfeier in der Aula der Georg-August-Universität zu Göttingen am 25. 11. 1950, Die Sammlung 6, 1951, 95–111; ders., N. Hartmann, RGG III*, Tübingen ³1959, 83f; zur beispielhaften theologischen Verwendung der Ontologie bei Blaise Pascal vgl. *A. Rich, Pascals Bild vom Menschen, Zürich 1953; ders., B. Pascal, RGG V, Tübingen* ³1961, 132–134.

75 *H. Scholz, Wie ist eine evangelische Theologie als Wissenschaft möglich?, ZZ 9, 1931, 8–53* (= *G. Sauter (hg.), Theologie als Wissenschaft (ThB 43), München 1971, 221–264*); Replik von *K. Barth, Kirchliche Dogmatik I/1, München 1932, 6–8; 17*; Dublik: *H. Scholz, Was ist unter einer theologischen Aussage zu verstehen?* In: *Theologische Aufsätze K. Barth zum 50. Geburtstag, München 1936, 25–37* (= *Sauter 1971, 265–278*). Im Kontext heutiger Diskussion: *G. Sauter, Wissenschaftstheoretische Kritik der Theologie, München 1973, 220–222*: »Nicht nur mit seinem Lösungsvorschlag, auch in seinem Ansatz kann H. Scholz heute nicht mehr vorbildlich sein.« Angesichts *Bocheński 1968* und *G. Stammler, Erkenntnis und Evangelium, Göttingen 1969* sind Zweifel an diesem Urteil im Ansatz anzumelden. Positiver urteilt *W. Pannenberg, Wissenschaftstheorie und Theologie, Frankfurt 1973, 329*: »Die wissenschaftstheoretischen Mindestforderungen von Scholz sind zwar heute, nach drei Jahrzehnten intensiver wissenschaftstheoretischer Diskussion, der Ergänzung und Differenzierung bedürftig, aber als Mindestforderungen immer noch gültig.« Vgl. *270–277*.

76 *Scholz 1931, 46* (= *1971, 258*).

77 Es ist erschütternd, sehen zu müssen, wie tiefgläubig-blauäugig heute noch eine schon bei ihrem Erscheinen weit überholte Darstellung wie *K. M. Fischer, Das Ostergeschehen, Berlin 1978, 11f* bezüglich der »Möglichkeit und Grenze der historischen Frage nach dem Ostergeschehen« kritiklos mit der Bestimmung »Die(!) Wesensmerkmale der(!) historischen Methode (Ernst Troeltsch)« – und das als Überschrift – einsetzt (nicht ohne schon das Erscheinungsjahr des Aufsatzes fälschlich mit 1908 statt richtig 1898) anzugeben: *Über historische und dogmatische Methode in der Theologie.* In: *Ders., Gesammelte Schriften II, Tübingen* ²1922, 729–753, = *Sauter 1971, 105–127*), so als hätte es nicht genügend berechtigte Kritik geschichtsmethodologischer Art sowohl am Gesamtwerk von E. Troeltsch (1865–1923) gegeben (vgl. zur forschungsgeschichtlichen Einordnung ins Spektrum der nachpositivistischen und neukantianischen Positionen die klassischen Arbeiten von: *F. Kaufmann, Geschichtsphilosophie der Gegenwart, Berlin 1931; M. Mandelbaum, The Problem of Historical Knowledge, New York 1938, 157ff*), als auch an diesem Frühwerk aus seiner ersten Epoche gegeben, wo er noch ganz im Banne Hegels (mit Modifikationen durch Positionen Schleiermachers) Geschichte von einer Geschichtsmetaphysik der »folgerichtigen Entwicklung«

umgreifen lassen will. Kritik an Troeltsch – vor allem was die Fassung und Wertung seines Analogieprinzips betrifft – hat schon von rein fachhistorischen Gesichtspunkten Ed. Meyer, *Zu Theorie und Methodik der Geschichte, Halle 1902 (= Kleine Schriften I, ²1924, 29 ff)* geübt (als Theologen äußerten sich in der gleichen Intention O. *Kirn, Glaube und Geschichte, Leipzig 1900, 40;* G. *Wehrung, Geschichte und Glaube, Gütersloh 1933, 108 ff).* Wenn Troeltsch seine abstrakten Allgemeinbegriffe (Kritik, Analogie, Korrelation) nur als Prinzipien gelten lassen wollte, dann könnte man die Diskussion fast auf sich beruhen lassen, doch mit seiner Formel von einer »Allmacht der Analogie« läuft der Ansatz darauf hinaus, »daß alle Unterschiede von einer alles einheitlich durchdringenden Gleichartigkeit umgriffen sein sollen. In dieser Form führt das Postulat der Gleichartigkeit alles Geschehens zu einer Verengung des historischen Fragens selbst. Die Erkenntniskraft der Analogie beruht nämlich gerade darauf, daß sie das Gleichartige im Ungleichartigen sehen lehrt. Mit dem Ungleichartigen, in keiner Analogie restlos Aufgehenden hat es der Historiker zu tun, wenn er das unverwechselbar Individuelle und die Kontingenz einer Begebenheit ins Auge faßt« (*W. Pannenberg, Grundfragen systematischer Theologie, Göttingen 1967, 46–54, 51* in einer wesentlichen Auseinandersetzung mit Troeltsch; vgl. auch G. *Sauter 1973, 37–43, 166–176;* P. *Stuhlmacher, Vom Verstehen des Neuen Testaments. Eine Hermeneutik (NTDE 6), Göttingen 1979, 22–24, 153 f).* Es ist darum ein Konglomerat von schlechter Philosophie mit dezisionistischer Theologie, wenn Fischer die Zuständigk it empirisch-historischen Fragens von einem – noch dazu sehr verkürzt rezipierten Troeltsch-Aufsatz her so bestreiten will und schreibt: »Das Wesen des christlichen(!) Glaubens(!) besteht ja gerade darin, zu verkündigen, daß(!) die Auferstehung Jesu keine Analogie hat. Die Auferstehung Jesu soll(!) kein Ereignis sein, das unter anderen ähnlichen nur hervorragt, sondern ein für allemal geschehen ist und prinzipiell(!) keine Analogie haben kann und darf« (12).

Dabei sind außerdem die Hintergründe des Analogieprinzips von Troeltsch unberücksichtgt – weil unerkannt – geblieben: »Familie, Staat, Produktions- und Eigentumsordnung, Kunst, Wissenschaft und Religion – in diesen Zwecken bekunden sich« für Troeltsch »die menschlichen Anlagen, die *darum* durchgängig in der Geschichte zu finden sind«: E. *Lessing, Die Geschichtsphilosophie Ernst Troeltschs (ThF 39), Hamburg 1965, 20–33, 33.* Das Analogieprinzip im Bereich des Religiösen ruht für Troeltsch also auf der Annahme eines »religiösen Apriori« als allgemeinmenschlicher Anlage (vgl. dazu F. K. *Schumann, Der Gottesgedanke und der Zerfall der Moderne, Tübingen 1929, 106–135).* Von einem solchen Postulat der Gleichartigkeit aller Wirklichkeit, dessen Maß und Norm neukantianisch die Gegenwartserfahrungen in und um das historische Subjekt sind (G. *Simmel (1858–1918), Die Probleme der Geschichtsphilosophie, Leipzig 1892 (= 1907); H. Rickert (1863–1936), Die Grenzen der naturwissenschaftlichen Begriffsbildung, Tübingen 1896–1902, ⁵1929;* zum Einfluß von Rickert auf Troeltsch vgl. *Lessing 1965, 60 f;* zum Gesamtspektrum der damaligen Verflechtungen vgl. *Pannenberg 1973, 105–117, 255–264)* – bzw. analog bei W. *Dilthey (1833–1911), Einleitung in die Geisteswissenschaften 1883 (Ges. Schriften 1, Leipzig 1923)*, die verstehende Psychologie des kongenialen Einfühlens als »Verstehen« (und analog dazu später Heideggers Existentialien als ontologische Allgemeinheiten), kann folglich »auch in noch so eigentümlichen Phänomenen der Vergangenheit letztlich nur Wirklichkeiten von dem gegenwärtig Erfahrbaren gleicher Art entdecken ... Eine solche historische Forschung untersuchte die biblischen Schriften als Dokumente menschlicher Religiosität, ausgehend von der Analogie sonstiger und vor allem der gegenwärtigen Erfahrung der Menschen von der Welt und von sich selbst. Sie konnte nicht im Ernst von besonderen Taten eines besonderen und nur hier sich erschließenden Gottes reden. Anders war es vom methodischen Selbstverständnis der Historiker, wie etwa E. Troeltsch es formuliert hat, gar nicht möglich. Es hängt heute viel davon ab, daß man sieht: Dieses Verständnis historischer Methode ist nicht identisch mit historischer Forschung überhaupt, sondern nur eine zeitbedingte und in mancher Hinsicht verengte und einseitige Auffassung von der Aufgabe und den Grundlagen historischer Forschung, die doch wesentlich methodisches Fragen nach dem wirklichen Hergang von irgendwann stattgefundenen Begebenheiten ist ... Man kann in den Grundfragen des Geschichtsdenkens nur weiterkommen, wenn man das sieht und nicht so tut, als ob die Formulierung der historischen Methode durch Troeltsch etwa für alle Zeiten vorbildlich das Wesen historischen Denkens definierte« (Pannenberg 1968, 81).

Wie sich Geschichtsmethodologie heute abseits des theologischen Ghettos darstellt, kann schon eine erste Umschau bei *F. Wagner, Geschichtswissenschaft, Berlin 1950; ders., Moderne Geschichtsschreibung, Berlin 1960* oder *Topolski 1976* zeigen, der auf fast 700 Seiten deutlich macht, welche methodischen Fragen im einzelnen im Zusammenhang multidisziplinärer Forschung anstehen und in dessen forschungsgeschichtlicher Darstellung Troeltsch auch nicht einen einzigen Absatz wert ist, ohne daß damit Wesentliches fehlt. Eine instruktive Zusammenfassung zur »historischen Methode« bietet *Bocheński 1973, 130–137:* Die historische Methode ist nur eine fachwissenschaftliche unter anderen, so wie sie alle Sachbereiche auch für ihre Sachverhalte entwickeln müssen. »Somit kann die historische Methode keineswegs als eine der allgemeinsten Methoden des Denkens gelten. Sie besteht selbst in einer besonderen Anwendung der großen allgemeinen Verfahren, vorzüglich der reduktiven Methode« (136f). Deutlicher kann die Aufhebung der von Dilthey 1883 inaugurierten Trennung von Natur- und Geisteswissenschaften (zu diesem Prozeß *Pannenberg 1973, 74–158*) nicht beschrieben werden. Was manchem neutestamentlichen Exegeten als Ende der historisch-kritischen Methode erscheinen will und eine Trennung von ihr geraten sein läßt, ist bei Lichte besehen nur eine – allerdings notwendige – Trennung von ghettohaft internalisierten Stereotypa und Implikationen Troeltscher und weiterer neukantianischer Prinzipien.

Denn bei *Troeltsch 1898* gilt es im einzelnen zu sehen, (a) daß »die etwas beziehungslos nebeneinanderstehenden Aussagen« *(Lessing 1965, 24 Anm. 42)* die Integration seiner Prinzipien historischen Forschens in die Metaphysik der hegelsch geprägten »Folgerichtigkeit der Entwicklung« nicht immer deutlich genug hervortreten lassen; (b) muß bei seinen drei Prinzipien historischer Methode (Kritik, Analogie, Korrelation) beachtet werden, daß sie sich nach Troeltsch im Vollzug des Forschens auch gegenseitig begrenzen sollen (Lessing 1965, 21–23), so daß nicht immer klar heraustritt, wo sie wirklich als Prinzipien gelten und wo nur als Begrenzungsgesichtspunkte. Wird Kritik durch Analogie (worauf es Troeltsch vor allem in Kontext der damaligen Diskussion ankam) und umgekehrt durch Kritik korrigiert, um vor Absolutsetzungen bewahrt zu bleiben, so kommt es zu einem Wechselspiel, das sich nicht methodisch ertragreich in die Praxis der Arbeit umsetzen läßt. Dabei spielt dann in diesem Wechselspiel das 3. Prinzip, das der Korrelation (= der Zusammenhänge des Geschehens als das Prinzip der Ganzheit) die Rolle des integrativen Mannes beim Skat, wird aber seinerseits nach dem Wunsch des Vaters dieser Triade wieder durch die Einzelheiten historischer Fakten korrigiert (ebd. 22 f). Mit der vor allem intendierten Begrenzung des Kritikprinzips durch die Analogie gibt Troeltsch bewußt antipositivistisch das Postulat der »Voraussetzungslosigkeit« des Erkennens auf, was wohl ein Problem signalisiert, aber keine wirkliche Lösung darstellt, zumal deutlich wird, daß er unter dem Ausdruck semantisch wohl mindestens drei verschiedene Begriffe von »Voraussetzung« zusammenbindet: Bindung an das Subjekt (Historiker), an das Objekt historischen Forschens und an die ontologische Voraussetzung beider (ebd. 26 Anm. 48). Konsequent verficht er darum einen Pluralismus der Standpunkte als wünschenswert, was letztlich nur ein notdürftiger Deckmantel eines faktischen solipsistischen Subjektivismus ist. Dieser ist aber alles andere als verwunderlich, weil die alles übergreifende Teleologie ja immer zum Ich und seiner heutigen sogenannten »Erfahrung« führt. Da auch das Analogieprinzip im Sinne Troeltschs ja das Subjektivitätsprinzip ist, so ist »Allmacht der Analogie« als solche Allmacht des erfahrenden Ichs der Gegenwart. In dieser Absolutsetzung wird es blind gegen fremde Erfahrung und führt zum Solipsismus. Selten macht man sich deutlich: »Diese ›Erfahrung‹ ist ein komplexes Phänomen. Sie enthält schon konstruktive und hypothetische Bestandteile: was gewöhnlich als Erfahrung angesehen wird, schließt schon den naiven Realismus ein« (V. Kraft, Mathematik, Logik und Erfahrung, Wien ²1970, 71 f; vgl. zum Problemkreis: F. Kambartel, Art. Erfahrung, HWP 2 (1972) 609–617, und H. Mey, Art. Erfahrungswissenschaft, ebd. 621–623; zu Gadamers hermeneutischem Erfahrungsbegriff besonders: B. J. Hilberath, Theologie zwischen Tradition und Kritik, Düsseldorf 1978, 157–173). Ein solcher unkritischer Realismus ist nicht weniger gefährlich als ein unkritischer Positivismus. Bei Troeltsch sollte konkret das subjektive Prinzip »Analogie« dem Prinzip »Kritik« (= dem empirischen Positivismus) Grenzen setzen. Doch Troeltsch und jeder andere »müßte sich den ungeheuren Erfolgen der positiven Wissenschaft verschließen, wollte er nicht das Wahrheitsmoment des Positivismus anerkennen. Seine Kritik wendet sich nur gegen die Dogmatisierung des Positivismus« (Lessing 1965, 23 Anm. 37).

Troeltschs letztlich enzyklopädisch bestimmte Intention, nämlich wie und mit welchen Mitteln wirklicher Erkenntnisfortschritt möglich sei, wird in heutiger Erkenntnistheorie wesentlich differenzierter und präziser beschrieben, als es ein Rückgriff auf seine Prinzipien erlauben (vgl. zur Lösung der Aporie des Erkenntnisprozesses *N. Hartmann 1960, 67–107*). Abgesehen von den Details sind auch Troeltschs Grundprinzipien als solche nicht in praxisorientierte Anwendungen umsetzbar, denn »Verallgemeinerungen sind im Bereich der Prinzipien nicht in dem der Methoden am Platze *(Hirsch 1972, 8)*. Schließlich erweist sich das nicht nur anthropozentrische (so die Kritik von *Pannenberg 1968, 49ff*), sondern letztlich sogar solipsistische Prinzip der »Allmacht« heutiger Ich-Erfahrung als Ausdruck des »radikalen Historismus« (= Psychologismus) mit seinem »sentimentalen Glauben..., daß nur unsere eigenen kulturellen Gegebenheiten eine ›authentische‹ Unmittelbarkeit für uns besäßen. Dies sei »etwa auch« der Grund, weshalb wir Texte der Vergangenheit nicht ›wirklich‹ verstehen könnten.« *(Hirsch 1972, 64f*; vgl. seine Gesamtkritik *45, 52ff, 310ff* an diesem bei Diltey, Heidegger wie Gadamer weiterhin bestimmend bleibenden historistischen Irrtum). Hier ist verkannt, daß auch die eigene Kultur nie »direktes Erfahren und Erleben« ist, sondern wie die Vergangenheit so ist auch die gegenwärtige Kulturerfahrung als indirekte immer semiotisch vermittelt *(U. Eco, Einführung in die Semiotik (UTB 105), München 1972, 31–37)*. Damit aber sind beide in gleicher Weise semiotisch analysierbar. Dies zu verschleiern, passiert meist aus Interessen einer Ideologie, die einen Status quo stabilisieren möchte. Demgegenüber ist eine verantwortlich betriebene Exegese und Theologie verpflichtet, sich nicht an zufällige und überholte, sondern an die bestmöglichen wissenschaftstheoretischen Erkenntnisse und Methoden zu halten *(G. Stammler, Herrschaft Jesu Christi in der Wissenschaft, ZdZ 2, 1948, 1–5, 37–45)*. Eine Bindung an Troeltsch kann auch im Blick auf das Osterereignis nur zu Äußerungen einer bestaunenswerten Rückständigkeit führen wie der: »Wenn die Auferstehung Jesu das Zentrum christlichen Glaubens ist, dann kann(!) sie nicht einem Wahrscheinlichkeitsurteil ausgesetzt (!) werden. Auch ein relativ hoher Wahrscheinlichkeitsgrad hilft hier nichts. Der(!) Glaube muß(!) ein anderes Verhältnis zur Auferstehung Jesu haben als die hypothetische Annahme« *(Fischer 1978, 12*; vgl. dagegen schon den Nachweis von *Pannenberg 1968, 53 Anm. 22*, daß Troeltsch kein zureichendes Argument gegen die Historizität der Auferweckung Jesu ist). Die vorsichtig zurückhaltende Kritik der Rezension von *N. Walter, ThLZ 106, 1981, 745f* verkennt, da sie selbst der Marxsenschen Position verhaftet bleibt, das Ausmaß der grundlegenden Schwächen Fischers.

78 *V. Kraft 1968, 103.*

79 *F. Mußner, Der Galaterbrief (HThK 9)*, Freiburg ³1977, 111 *Anm. 58; 140f Anm. 30*; vgl. *J. H. Schütz, Charisma and Social Reality in Primitive Christianity, JR 54, 1974, 51–70*= Charisma und soziale Wirklichkeit im Urchristentum. In: *W. A. Meeks (hg.), Zur Soziologie des Urchristentums (ThB 62)*, München 1979, 222–244; 228f); ders., *Paul and the Anatomy of Apostolic Autthority, (SNTS.MS 26)*, Cambridge 1975, 140ff; *B. Holmberg, Paul and Power (CB.NT 11)*, Lund 1978, 29, 32f.

80 *Holmberg 1978, 28f.*

81 *Bocheński 1968, 51.*

82 *Ebd. 91f, 125f.*

83 *Holmberg 1978, 30f.*

84 I. *Lönning, Paulus und Petrus. Gal 2 als kontroverstheologisches Fundamentalproblem, StTh 24, 1970, 1–69, 50 Anm. 229,* der *Mußner 1977, 111 Anm. 58* beipflichtet.

85 *Kramer 1963, 47.*

86 Schon die wenigen »hebräischen und hellenistischen Genitivverbindungen« außerhalb des christlichen Sprachraums »sind, ob diese Genitive nun persönlicher oder sächlicher Natur sind, sämtlich Objektgenitive« *(Stuhlmacher 1968, 237 Anm. 1).* L. *Goppelt, Theologie des Neuen Testaments, Göttingen ³1980, 440 Anm. 13* lehnt darum die Auflösung als Gen.subj. durch G. *Friedrich ThWNT II, 728* ab.

87 *Goppelt 1980, 440.*

88 *Ebd.;* vgl. schon *Friedrich ThWNT II, 728:* »Will man den Inhalt des Evangeliums kurz mit einem Wort zusammenfassen, so lautet er: Jesus der Christus.« Dagegen hat schon *Kramer 1963, 48 Anm. 125* den berechtigten Einspruch erhoben, daß dieser Satz »vorstellungsmäßig nicht präzis ist, geht es doch im Evangelium nicht primär um das Bekenntnis zu Jesus dem Messias, sondern ... um Gottes Tat der Auferweckung.«

89 Zum Stellenwert der Wundergeschichten in der lukanischen Jesusbiographie: U. *Busse, Die Wunder des Propheten Jesus (FzB 14), Stuttgart ²1979;* außer Apg 2,22 wird dies auch 10,36–38 deutlich.

90 Vgl. dazu grundlegend immer noch S. *Schulz, Gottes Vorsehung bei Lukas, ZNW 54, 1963, 104–116;* ders., *Die Stunde der Botschaft, Hamburg 1967, 275–283,* der den Ansatz von H. *Conzelmann, Die Mitte der Zeit (BHTh 17), Tübingen ³1960, 141–143,* ausbaute und an dem auch gegen den zu dogmatischen Einspruch von H. *Flender, Heil und Geschichte in der Theologie des Lukas (BEvTh 41), München ²1968, 128–130* festzuhalten ist.

91 *Wilckens 1963, 118f:* »Daß bei Lukas eine deutliche Tendenz vorliegt, die Schuldfrage entdeutig im Sinne der jüdischen Alleinschuld zu entscheiden, ist eine allgemein beobachtete Tatsache.«

92 1Thess 2,15f ist als redaktionelle Glosse der Briefkomposition und -sammlung zu werten: P. W. *Schmiedel, Die Briefe an die Thessalonicher (HC II), Freiburg ²1893, 20f;* E. *Bammel, Judenverfolgung und Naherwartung. Zur Eschatologie des 1Thess, ZThK 56, 1959, 294–315, 294 Anm. 2;* K.-G. *Eckart, Der zweite echte Brief des Apostels Paulus an die Thess, ZThK 58, 1961, 30–44, 33, 37;* W. *Schmithals, Paulus und die Gnostiker (ThF 35), Hamburg 1965, 131;* B. A. *Pearson, 1Thess 2,13–16: A Deutero-Pauline Interpolation, HThR*

64, 1971, 79–94 denkt an den Umkreis des Mt; ihm zustimmend: *H. Boers, The Form Critical Study of Paul's Letters: 1Thess as a Case Study, NTS 22, 1975/76, 140–158* nimmt 2,13–16 aus gliederungsstilistischen Gründen heraus; *C. Thoma, Christliche Theologie des Judentums, Aschaffenburg 1978, 238* nimmt V.15 b als heidenchristliche Glosse an; *Schenke-Fischer 1978, 70* m. R. auf jeden Fall V.15–16.

93 *H. Lausberg, Elemente der literarischen Rhetorik, München* ⁵*1976, 34 (§ 67)*.

94 Es ist typisch, daß Bultmann und die Seinen diese Parenthese, die ein klar semantisches Evangeliumsverständnis bezeugt, was pragmatistischem existenziellen Evangeliumsverständnis der antiobjektivistischen Bultm annschule klar widerstreitet, als Glosse ansehen möchten; vgl. dagegen *J. Kürzinger, Typos Didaches, Bibl 39, 1958, 156–176; H. Greeven, Propheten, Lehrer und Vorsteher bei Paulus, ZNW 44, 1952/53, 1–43, 20ff; Goppelt ThWNT VIII, 251; K. Aland* in: *FS E. Haenchen 1964, 29; von Campenhausen 1968, 132* sowie die Kommentare von *Kuß, Käsemann, Cranfield, Schlier, Wilckens* z. St.

95 *G. Friedrich ThWNT III, 711; Stuhlmacher 1968, 230f Anm. 3*.

96 *Stuhlmacher 1968, 58 Anm. 2* mit *Lietzmann-Kümmel* z. St. gegen *Bauer WB 1615*; vgl. Mk 4,30; Barn 13,6. Dagegen ist das präsentische *gnōrízein* in Gal 1,11 und 1Kor 15,1 gleicherweise in seiner betonten Erinnerungsfunktion vom Kontext her zu verstehen, nicht aber von den Deuteropaulinen her als Offenbarungsterminus zu werten: *Bultmann ThWNT I, 718; Lührmann 1965, 121 Anm. 3* gegen *H. Schulte, Der Begriff der Offenbarung im Neuen Testament (BEvTh 13), München 1949, 47; Stuhlmacher 1968, 69f*.

97 *Lausberg 1976, 91 (§ 281); B-D-R 153 Anm. 1* macht leider auf diese textsemantische Funktion nicht aufmerksam.

98 So *Stuhlmacher 1968, 235 Anm. 4* nach F. Hahn; *Käsemann 1980, 6* u. a.

99 Derselbe Sachverhalt liegt auch im Markusevangelium vor: Nachdem 1,1 die volle Bezeichnung »Evangelium Jesu Christi des Sohnes Gottes« und 1,14 »Evangelium Gottes« eingebracht hatte, ist nicht nur der Artikel in 1,15 offenkundig anaphorisch, sondern ebenso 8,35; 10,29; 13,10; 14,9. Dieser textlinguistische Sachverhalt der Anaphora ist nicht genügend beachtet, wenn man für Markus einen »absoluten Begriff« statuiert – so *Bultmann 1968, 89* und in seinem Gefolge *Stuhlmacher 1968, 135 Anm. 1; Strecker 1980, 179*.

100 So *Stuhlmacher 1968, 63* bzw. *70f* »Offenbarung selbst«.

101 So *Goppelt 1980, 440*. Der assoziative Nachsatz intendiert dann auch einen undifferenziert holistischen Übergang zu der direkten Gottesrede bei den alttestamentlichen Propheten, woraus man dann einen umfassenden Wort-Gottes-Begriff abstrahiert.

102 S. o. Anm. 49; vgl. *Wilckens 1963, 143f*.

103 A. Polag, Die Christologie der Logienquelle (WMANT 45), Neukirchen 1977, 176.

104 K. Lehmann, Auferweckt am dritten Tage nach der Schrift (QD 38), Freiburg ²1969, 100f; ders., Die Erscheinungen des Herrn. In: Wort Gottes in die Zeit (Festschrift K. K. Schelkle), Düsseldorf 1973, 361–377 (= ThJb(L)1976, Leipzig 1976, 145–158); G. Friedrich, Die Auferweckung Jesu – eine Tat Gottes oder ein Interpretament der Jünger?, KuD 17, 1971, 153–187, 156f; A. Vögtle, Wie kam es zum Osterglauben? BiLe 14, 1973, 231–244; 15, 1974, 16–37, 102–120, 174–193 (= A. Vögtle – R. Pesch, Wie kam es zum Osterglauben, Düsseldorf 1975, 11–131 = ThJb(L)1976, Leipzig 1976, 47–144). Diese Arbeit hat im wesentlichen nur einen Nachteil, und das ist ihr Titel, der den monströsen Ausdruck »Osterglauben« weiter verlängert. Das führt zu nicht beschreibungsadäquaten Ausdrücken wie 1976 S. 126 »der Begriff der ›Auferweckung‹ als Ausdruck des Osterglaubens«. Der Sache nach dürfte das Verhältnis von Sachverhalt und Bezeichnung genau umgekehrt sein: Die Wahl dieses jüdischen Terminus als solchem bezeichnet und signalisiert ein apokalyptisch endzeitliches Verständnis der objektiven Ostererscheinungen und der aus ihnen einzig möglichen Schlußfolgerung. Außerdem ist semantisch nie nur die Metapher zu sehen, sondern das ganze Syntagma als Auferweckung »von den Toten«, das erst nachösterlich im christlichen Sprachraum formelhaft wird.

105 Friedrich 1971, 156f nach K. H. Rengstorf, Die Auferweckung Jesu, Witten ⁵1967, 57, 117–124.

106 Diese grundlegende Unterscheidung (vgl. Geckeler 1971, 78–83; Breckle 1974, 54–66) nicht beachtet zu haben, ist der Fehler von W. Michaelis, ThWbNT V, 358.

107 Dies nach der umgekehrten Seite nicht beachtet zu haben, ist der methodische Fehler bei H. Grass, Ostergeschehen und Osterberichte, Göttingen ⁴1970, 188f; J. Jeremias, Neutestamentliche Theologie, Gütersloh ³1979, 292: Petrus' »Schau des Lichtglanzes« Jesu; W. G. Kümmel, Die Theologie des Neuen Testaments, Göttingen ⁴1980, 17,91f; F. Mußner, Die Auferstehung Jesu, München 1969, 63–74; H. Schlier, Über die Auferstehung Jesu Christi, Einsiedeln 1968 (= Leipzig 1969), 31–34, 38f; G. Friedrich 1971, 155–157, der diese Deutung von seiner eigentlichen umgriffen sieht. So sehr ein Sachzusammenhang zu sehen ist, so ist er doch nicht wortsemantisch in einen Ausdruck zu fassen; B. Rigaux, Dieu l'a ressuscité, Gemblaux 1973, 343–346; P. Stuhlmacher, Kritischer müßten mir die Historisch-Kritischen sein!, ThQ 153, 1973, 244–251, 249. Dabei ist auffallend, daß damit im Zusammenhang immer eine ungerechtfertigte historische Überbewertung der Erscheinungslegenden der nachmarkinischen Großbiographien Jesu steht, die strikt abzuweisen ist; vgl. dagegen Vögtle 1976, 80–85.

108 Ebd. 70.

109 Belege insgesamt bei A. Pelletier, Les apparitions zu Ressuscité en termes

de la Septante, Bibl 51, 1970, 76–79, 77 f zu den profanen. Vögtle plädiert mit *J. Blank, Paulus und Jesus, München 1968, 157 f* und F. Hahn für dieses Verständnis.

110 *D. Vetter THAT II, München 1976, 692–701, 694.*

111 Dies wäre die Lösung des berechtigten, von *W. Michaelis ThWNT V, 358–360* intendierten Anliegens, das er aber mit unzureichenden Mitteln und Argumenten und darum nicht überzeugend durchführt. Auch von einer »Offenbarungsformel« sollte man bei dem untersuchten Terminus nicht reden, und zwar nicht nur, um den überlasteten Offenbarungsbegriff und die Probleme des Revelationsschemas herauszulassen, sondern vor allem darum, daß die Komponente des Schöpfungshandelns und der Weltwirklichkeit des Osterereignisses klar und unverwischt herausgestellt bleibt. Tendenzgleich mit Michaelis spricht auch *X. Leon-Dufour, Résurrection de Jésus et message pascal, Paris 1971, 78, 275* von »manifestation« (Sich-Manifestieren) und »présentation«. Dagegen übergeht *Vögtle 1976, 72–74* in seiner Kritik an Michaelis wegen seiner zu engen Anlehnung an die »Gotteserscheinungsformel« diesen Aspekt der Weltwirklichkeit leider.

112 *H. W. Bartsch, Die Funktion des urchristlichen Osterglaubens, NTS 26, 1979/80, 180–196;* vgl. schon *ders., Der Ursprung des Osterglaubens, ThZ 31, 1975, 16–31.*

113 *Ebd. 191 Anm. 15.*

114 *Ebd. 194* – also unter Voraussetzung des Revelationsschemas oder gar einer Inkarnationsvorstellung.

115 Vgl. dagegen *Kramer 1963, 61–104; Vielhauer 1965, 147–175.*

116 So als Beispiel für unzählige ähnliche: *H.-G. Geyer, Anfänge zum Begriff der Versöhnung, EvTh 38, 1978, 235–251, 243;* daß hingegen 1Kor 15,28 klar dem späteren staatskirchlichen Trinitätsdogma widerspricht, wie es umgekehrt den jüdischen Monotheismus festhält, hatte schon *H.-J. Kraus, Begegnung mit dem Judentum. Das Erbe Israels und die Christenheit, Hamburg 1963, 110 ff* betont, woran *W. Schweikhart, Zwischen Dialog und Mission. Zur Geschichte und Theologie der christlich-jüdischen Beziehungen seit 1945 (StJVChrG 2), Berlin 1980, 81 f* m. R. erinnert.

117 So *Vögtle 1976, 73* – dabei ist verkannt, daß die Texte des Neuen Testaments Offenbarung nie als Selbstoffenbarung Gottes kennen; vgl. im übrigen die oben Anm. 36 erinnerten Differenzierungen zwischen dem Offenbarungsbegriff des Revelationsschemas und dem Realisierungs-Manifestations-Offenbarungsbegriff, der an den paulinischen Stellen in der Regel maßgebend ist.

118 Vgl. dazu *Schenk 1975.*

119 Vgl. dazu die Argumentionsanalysen der einzelnen Texte nach Korinth in *Schenk 1979;* von *Campenhausen 1968, 133 f* wendet sich konsequent gegen

die fahrlässige Behauptung einer »Kanonizität des Apostels« Paulus (gegen E. Lohmeyer, Philipperbrief, Göttingen ¹³1964, 176 und analog A. Jülicher-E. Fascher, Einleitung in das Neue Testament, Tübingen ⁷1931, 456).

120 Vgl. dazu im einzelnen W. Schenk, Synopse zur Redenquelle der Evangelien, Düsseldorf 1981; zur antiken Zitierweise vgl. H. Hommel, Herrenworte im Lichte sokratischer Überlieferung, ZNW 57, 1966, 1–23; zur Divergenz der Komplexe vgl. H. M. Teeple, The Oral Tradition, that Never Existed, JBL 89, 1970, 56–68: Das Kerygma »contains no word of Jesus and no events in his career before his death« (60).

121 Vgl. W. Schrage, Die konkreten Einzelgebote in der paulinischen Paränese, Gütersloh 1961, 187ff zu den Herrenworten als Normen im Zusammenhang mit den beiden anderen Gruppen. Grundsätzlich ist darum die Einsicht Bultmanns von der Sachdifferenz zwischen apostolischem Kerygma einerseits und Jesustradition andererseits unaufgebbar, wie sie G. Klein, Reich Gottes als biblischer Zentralbegriff, EvTh 30, 1970, 642–670, 654f, 658f und W. Schmithals, Jesus Christus in der Verkündigung der Kirche, Neukirchen 1972, 101 u. ö. gegen den neoritschlianischen Trend festhalten (gegen den Einspruch von W. G. Kümmel, Ein Jahrzehnt Jesusforschung III, ThR 41, 1976, 295–363, 325f u. ö.). Wenn der Forschungsbericht von A. Lindemann, Jesus in der Theologie des Neuen Testaments. In: Jesus Christus in Historie und Theologie (FS H. Conzelmann), Tübingen 1975, 27–57 zum gleichen Ergebnis kommt und die gegenteilige Position von P. Stuhlmacher, Jesus als Versöhner. Überlegungen zum Problem der Darstellung Jesu im Rahmen einer biblischen Theologie des Neuen Testaments, ebd. 87–104 selbst bei Kümmel a. a. O. 350f auf Skepsis hinsichtlich der Tragfähigkeit der Grundkategorie des »Versöhners« stößt, so ist die Aporie offenkundig. Wenn Kümmel ebd. 347f gegen S. Schulz, Der historische Jesus. Bilanz der Fragen und Lösungen (FS H. Conzelmann) 3–25 abschließend statuiert: »Den Paulus . . . zum Maßstab für die Botschaft Jesu zu machen, ist nicht nur historisch und theologisch grotesk, sondern das Ende jeder christlichen Theologie«, so kommt deutlich heraus, was bei Kümmel u. a. letztlich federführend ist: Es ist die typisch artikulierte Angst vor dem »Ende jeder (!) christlichen Theologie« wenn mit dem Ende des nicänischen Staatskirchentums auch das Ende seiner christologischen Ideologie deutlicher wird, als manchem lieb ist. Der Grundansatz der Bestreiter dieser Einsicht ist die Voraussetzung, daß Ostern die Bestätigung der Identität wie des Anspruches Jesu sei. Demgegenüber ist die Auferweckung Jesu als creatio ex nihilo, die die justificatio impii impliziert (Röm 4,24 f im Verhältnis zu V.5.17), auch für den Menschen Jesus tatsächlich nur die Gerechtmachung dieses Sünders – wenn also »Antwort Gottes«, dann Antwort auf die Bitte des Sünders Jesus: »Vergib uns unsere Schuld« (Q-Mt 6,12 vgl. Schenk 1981, 61 f).

122 von Campenhausen 1968, 129–134, 132, 134.

123 Vgl. dazu im einzelnen W. Schenk, Auferweckung der Toten oder Gericht nach den Werken. Tradition und Redaktion in Mt 25,1–13, NT 20, 1978, 278–299.

124 Vgl. zur Argumentationsanalyse von 1Kor 9: W. *Schenk 1979, 57–59.*

125 Unmöglich kann darum das historische Urteil so lauten, wie es bei *H. Köster 1980, 518* formuliert erscheint: »Man sieht die Auferstehung(!) am besten als einen Katalysator, durch den Reaktionen ausgelöst wurden, die zur Mission und zu Gemeindegründungen führten, durch den die Kristallierung der Tradition über Jesus ermöglicht wurde und durch den Leid und Trauer oder auch Haß und Ablehnung in Gewißheit und Glauben(!) verwandelt wurden. Einen neuen Inhalt brachte die Auferstehung nicht, aber sie machte für diese ersten Christen alles neu«!

126 *von Campenhausen 1968, 130.*

127 E. *Haenchen, ZThK 63, 1966, 151* – der Einwand von F. *Mußner 1977, 270 Anm. 120* dagegen überzeugt unvoreingenommen kaum.

128 W. *Marxsen, Der Evangelist Markus (FRLANT 67), Göttingen ²1959, 77–98, 83*: Markus hat »das Substantiv *euaggélion* in die synoptische Tradition hineingebracht. Er hat ... denselben Begriff über sein ganzes Werk gestellt.« G. *Strecker, Literarkritische Überlegungen zum euaggélion-Begriff im Markusevangelium. In: Neues Testament und Geschichte (FS O. Cullmann), Zürich 1972, 91–104; ders. Das Evangelium Jesu Christi. In: Jesus Christus in Historie und Theologie, Tübingen 1975, 503–548; ders. 1980, 184f; R. Schnackenburg, »Das Evangelium« im Verständnis des ältesten Evangelisten. In: Orientierung an Jesus (FS J. Schmid), Freiburg 1973, 309–324;* Der Einspruch von F. *Hahn, Das Verständnis der Mission im Neuen Testament (WMANT 13), Neukirchen ²1965, 59–62, 101f,* dem *Stuhlmacher 1968, 234–238* und R. *Pesch 1977, I 105–107* folgen, hat sich nicht durchsetzen können. Er hängt zum Teil an dem angeblich »absoluten Begriff«, der im Mißverstehen der textsemantischen Anaphora postuliert wird. Indessen ist auch *Streckers 1980, 184* gebrauchter Formulierung zu widersprechen: Mk kehrt(!) von der Christusverkündigung zur Verkündigung des Christus zurück(!), weil damit apologetisch entgegen dem realen Verlauf der Traditionsgeschichte wieder harmonistisch ein holistisches Gesamtbild konstruiert wird, das semantisch nicht haltbar ist.

129 Mit der Wahl des Eröffnungswortes *archē* + nachfolgendem Genitiv bedient sich Markus offenbar einer geläufigen literarischen Topik, deren ältestes Beispiel wohl bei dem ersten Weiterführer der von Hermippos begründeten Biographie, deren Gattung er im übrigen durch die Erfindung des Prosa-Enkomions bereicherte, also bei Isokrates (436–338 v. Chr. – vgl. H. *Gärtner KP II, 1467–1472),* Philippos 1 *(archē toŷ lógoy)* vorliegt; vgl. zeitgenössisch zu Mk: TacHist 1.1.1 (initium operis). Das Substantiv ist dabei nomen actionis: »ich beginne, setze ein mit«. sogar die Fortsetzung mit einer Begründung Mk 1,2 hat in dieser Topik ihr Vorbild (Polyb I, 5.4f; DionHal AntRom 1.8.4; JosBell 1,18 und 1,30); vgl. G. *Arnold, Mk 1,1 und Eröffnungswendungen in griechischen und lateinischen Schriften, ZNW 68, 1977, 123–127;* W. *Feneberg, Der Markusprolog (StANT 36), München 1974, 186–189;* R. *Pesch 1977, I 75f.*

130 *Hirsch 1972, 141.*

131 *Ullmann 1973, 277f, 305f*; über die bei Ullmann gegebenen Belegbeispiele hinaus belegt das jedes etymologische Wörterbuch, wie wir sie für das Deutsche bei *E. Wasserzieher, Woher? Ableitendes Wörterbuch der deutschen Sprache, Bonn* [18]*1974* (gekürzt: *ders., Kleines etymologisches Wörterbuch der deutschen Sprache, Leipzig 1975*) und für das Griechische bei *H. Frisk, Griechisches etymologisches Wörterbuch I–III, Heidelberg 1960–1972*, haben. Für das Hebräische vgl. die reizende Zusammenstellung von *S. Y. Kutscher, Wörter und ihre Geschichte, Ariel 10, 1970, 68–79.*

132 Zum *Einfluß der Logienquelle auf das Markusevangelium: W. Schenk ZNW 70, 1979, 141–165*; zu analogen Ergebnissen kam *W. Schmithals, Das Evangelium nach Markus (ÖTK 2), Gütersloh/Würzburg 1979, 23–25, 43, 56–58.* Die Bestreitungen dieser Abhängigkeiten durch *R. Laufen, Die Doppelüberlieferungen der Logienquelle und des Markusevangeliums, Bonn 1978* überzeugen nicht, da es der Arbeit an einer stringenten und konsequent durchgehaltenen Methodik fehlt: Rez. *R. Pesch, ThRev 76, 1980, 13–15.*

133 Zu dieser gängigen Funktion antiker Biographien überhaupt: *Talbert 1978, 92ff*, für Mk speziell *134.* Von einem anderen Ansatzpunkt, dem alttestamentlicher »Idealbiographien«, her kommt auch *K. Baltzer, Die Biographie der Propheten, Neukirchen 1975, 185–188*, zu einer biographischen Klassifikation des Markus.

134 *Lausberg 1976, 16f (§ 10–19).*

135 *G. Dautzenberg, Zur Stellung des Markusevangeliums in der Geschichte der urchristlichen Theologie, Kairos 18, 1976, 282–291*; ders., *Die Zeit des Evangeliums. Mk 1,1–15 und die Konzeption des Markusevangeliums, BZ 21, 1977, 219–234; 22, 1978, 76–91.*

136 *Schenk 1974, 259–271*; ich bleibe weiterhin bei dem damals vorgetragenen literar- und redaktionsanalytischen Ergebnis, sofern es sich durch wort- und stilanalytische Beobachtungen eher noch gefestigt hat. Als vormarkinische Vorlage läßt sich erkennen:

2a Und am ersten Tage der Woche kommen
1a Maria aus Magdala und Maria, die des Jakobus, und Salome
1b um ihn zu salben.
4a Und sie sehen
5b rechts (den) jungen Mann (von Mk 14,51)
(nun) mit einem Gewand (wieder) bekleidet.
6a (Und) er sagt zu ihnen:
6c »Den am Kreuz hingerichteten Jesus aus Nazareth sucht ihr?
6d Er ist auferweckt worden. Er ist nicht hier.«
Im Blick auf den Skopos der Vorlage besteht – auch bei verschiedenen Rekonstruktionsergebnissen im einzelnen – doch das Einverständnis, »daß die Mk 16 zugrundeliegende Erzählung von Anfang an die Proklamation der erfolgten Auferweckung des im Grab liegenden Jesus enthielt« (*Vögtle 1976,*

114f nach *L. Schenke, Auferstehungsverkündigung und leeres Grab (SBS 33)*, Stuttgart ²1969, 89; *I. Broer, Zur heutigen Diskussion der Grabesgeschichte*, BiLe 10, 1969, 40–52). Dieser Befund würde noch sprechender und bedeutender, wenn man konsequent in dem Ausrichter dieser Nachricht ursprünglich nicht einen Engel annehmen müßte, sondern den »jungen Mann(von Mk 14,15, der als Petrus bestimmt werden müßte, dafür als rekonstruiert ansehen darf.

B. Dormeyer, Die Passion Jesu als Verhaltensmodell (NTA 11), Münster 1974 (vgl. meine Rez. *ThLZ 101, 1976, 189–192*), 229–231 bemühte sich erneut um den Nachweis, daß die Gattung der Angelophanie schon die vormk Schicht bestimmte. Da aber auch dieser Versuch nicht aufgeht, weil gerade die Beglaubigung des Zeichens und sein Eintreffen fehlen, so dürfte hier kein anfänglich gegebenes »Schema« – weder ein »kultisches« noch ein literarisches – durchgehend aufweisbar sein, sondern höchstens ein nachträglicher und sporadischer Einschlag. Der Versuch der Durchführung Dormeyers hat darin sein wichtigstes Ergebnis, daß er letztlich die Undurchführbarkeit dieses Ansatzes belegt.

A. Lindemann, Die Osterbotschaft des Markus. Zur theologischen Interpretation von Mk 16,1–8, NTS 26, 1979/80, 298–317 bestreitet 304f meine Analyse, analysiert aber literarkritisch mehr deduktiv als empirisch und bietet so nur das apriorische Postulat an, daß das Segment »von vornherein«(!) als Epiphanieerzählung geschaffen sei. Aber genau das hätte er gerade erst aposteriorisch erweisen müssen. Fest steht doch zunächst phänomenologisch erst nur, daß die Passage bei Mk Züge der Epiphanieerscheinung hat. Ob sie das aber auch in der Vorlage war, kann »formgeschichtlich« nie vorausgesetzt werden, sondern ist von davon unabhängigen sprach- und textanalytischen Beobachtungen her erst zu erweisen. Lindemanns Versuch ist darum nur das Beispiel eines typischen Apriorismus der klassischen Formgeschichte, dessen Unhaltbarkeit ich in meiner Analyse von Perikope zu Perikope als methodisch unhaltbar zu entschleiern versuchte. Formmuster können auf jeder Stufe der Überlieferung einwirken und sind darum kein Indiz für ältere Überlieferung als solche. Die notwendige empirische Überprüfung mit unabhängigen Beobachtungsdaten geht hier weiterhin negativ aus. Man kann hier nicht apriorisch argumentieren, daß die Topoi, die stilgemäß zu einer Epiphaniegeschichte gehören, darum als solche auch schon älter sein müßten, wenn diese sich vorzugsweise mit der redaktionellen Sprachverwendung des Mk decken.

137 Hierfür gilt dasselbe wie für das »Engel«-Motiv: Wenn wir die Aussagen zum leeren Grab wegen mk Spracheigentümlichkeiten der betreffenden Passagen wie wegen der Voraussetzung der nachträglichen Verbindung mit 15,42 ff nicht begründet für eine vor Mk liegende Schicht annehmen können, dann erübrigt sich die erst nach der literarischen Klärung mögliche historische Frage mit der an sich sachlich sinnvollen Differenzierung (vgl. *Vögtle 1976, 109–118*), daß man sehen müsse, wo

(a) mit der empirisch verifizierbaren Feststellung des leeren Grabes heute argumentiert wird (so von Campenhausen, Jeremias, Mußner, Lehmann, G.

Lohfink, Bläser, Bode, Schweizer, Schubert, Rigeaux, Stuhlmacher, Hengel), oder aber

(b) mit der nur – aufgrund eines sogenannten »gut alttestamentlichen, ganzheitlich konzipierten Bildes vom Menschen« – in der Aussage von der Auferweckung Jesu implizierten Vorstellung eines leeren Grabes (so *Vögtle 1976, 108 Anm. 23 f* mit Lehmann, G. Lohfink, Schweizer, Schubert, Stuhlmacher, Bode – bei denen sich beide Begründungen verbinden, während Vögtle für eine strikte Beschränkung auf das zweite Motiv plädiert). Doch ist ein so allgemeines Argumentieren mit dem bloßen Postulat einer einheitlichen jüdischen Anthropologie bei der Differenziertheit des Judentums in hellenistisch-römischer Zeit nicht möglich: *R. Meyer, Hellenistisches in der rabbinischen Anthropologie (BWANT IV/22), Stuttgart 1937; L. Wächter, Gemeinschaft und Einzelner im Judentum, Berlin 1961; ders., Spekulationen über den Tod im rabbinischen Judentum, Kairos 20, 1978, 81–97; G. Maier, Mensch und freier Wille. Nach den jüdischen Religionsparteien zwischen Ben Sira und Paulus (WUNT 12), Tübingen 1971 (dazu Rez. G. Delling ThLZ 97, 1972, 509 f sowie Sanders 1977 passim)*. Schon die unterschiedlichen Eschatologien in der ganzen Streubreite vom Sadduzäismus bis zum Pharisäismus korrelieren mit unterschiedlichen Anthropologien, die mit »gut alttestamentlich« und »ganzheitlich« nicht zusammenzufassen sind. Auf jeden Fall muß eine Argumentation als augeschlossen gelten, die selbst schon auf der literarischen Ebene argumentiert, daß die Vorstellung vom leeren Grab nicht hellenistisch, sondern nur jüdisch entstanden sein könne. Dafür gibt es außerdem einen schlagenden Gegenbeweis:

Die von Mk 16 verwendeten Vorstellungen waren offenbar geläufig, denn es gibt eine überaus nahe Parallele bei Chariton aus Aphrodisias in seinem griechischen Liebesroman »Die Abenteuer des Chaireas und der Kallirrhoe«, der offenbar älter als Markus ist *(E. Rohde, Der griechische Roman, ³1914, 517 ff, 610*: Wende der Zeitrechnung; *Kranz 1958, 481*: frühes erstes Jhdt.; *A. Leski, Geschichte der griechischen Literatur, Bern ³1971, 776 ff* hält sogar noch ältere Abfassung im Späthellenismus für möglich; *W. Sontheimer, KP I, 1137* tendiert umgekehrt »1. oder 2. Jh. n. Chr.«). Bei der Schilderung der wechselvollen Schicksale beider Syracusaner auf ihren getrennten Wegen nach der Hochzeit findet sich III,3 *(ed. und englische Übersetzung W. E. Blake, (LCL), London 1938;* vgl. jetzt auch *Chariton Aphrodisias, Kallirhoe. Eingeleitet, übersetzt und erläutert von K. Plepelits (BGL 6), Stuttgart 1976)* die Schilderung eines leeren Grabes, deren Übereinstimmung mit den entsprechenden Stücken in Mk 16 frappierend ist:

Chaireas »kam um die *Morgenzeit* an das Grab« (vgl. Mk 16,2).

»Er fand den *Stein fortgeschafft* und den Eingang *offen*« (vgl. Mk 16,4).

»Als er das *sah, erschrak* er sehr« (vgl. Mk 16,5 b).

»*Niemand wagte* (in das Grab) *einzutreten*« (vgl. Mk 16,5 a).

»Es erschien unglaubhaft, daß die Tote *nicht dalag*« (vgl. Mk 16,6).

»Als er das Grab durchsuchte, konnte er *nichts finden*« (vgl. das Komplenym »suchen« bei Mk 16,6).

An dieser sehr weitgehenden Parallele, auf deren Wichtigkeit schon *J. Leipoldt,*

Zu den Auferstehungsgeschichten, ThLZ 73, 1948 737–742, 739 f aufmerksam gemacht hatte, ist die Diskussion der Frage bisher völlig vorübergegangen. Dieser Text zeigt, daß man die Materialisierung des leeren Grabes nicht unbedingt aus jüdischen Einflüssen ableiten muß. Da es sich in dem Roman um einen Scheintod handelt, so ist auch nicht so verwunderlich, daß man dann, wenn man vor der mk Legende aus ungebrochen historisch weiterdachte, den Unsinn eines Scheintodes Jesu erwog (*K. F. Bahrdt 1741–1792, Ausführung des Plans und Zwecks Jesu, I–VIII, Halle 1784 f; F. D. E. Schleiermacher 1768–1834, Das Leben Jesu, Berlin 1864* – so nach seinen Vorlesungen, die er 1819 als erster unter diesem Titel las; *H. E. G. Paulus 1761–1851, Das Leben Jesu als Grundlage einer reinen Geschichte des Urchristentums I–II, Heidelberg 1828*; es ist aber ein bedauerliches Fehlurteil, wenn *Fischer 1978, 14* behauptet, daß er »die These vom Scheintod Jesu aufbrachte«); vgl. dagegen *A. Schweitzer, Geschichte der Leben-Jesu-Forschung I–II (SSTb 77/78), München 1966 passim; H. J. Genthe, Mit den Augen der Forschung. Kleine Geschichte der neutestamentlichen Wissenschaft, Berlin 1976, 73, 76, 84, 134.*

138 Man wird die richtige Einsicht von *Bultmann 1979, 311; E. Lohmeyer Das Evangelium des Markus (KEK 2), Göttingen* [17]*1967, 355; Rigaux 1973, 301* nicht bestreiten können, daß Markus mit dem leeren Grab die Auferweckung Jesu beweisen will. Dies mit dem Textgefälle in Mk 16,6 zu bestreiten, geht nicht an. *Lindemann 1979/80, 305, 314* wiederholt den von *H. Graß, Ostergeschehen und Osterberichte, Göttingen* [4]*1970, 21* aufgestellten und auch von *U. Wilckens, Auferstehung (ThTh 4), Stuttgart* [2]*1975, 64* und *R. Pesch 1977, II, 533* wiederholten, aber nicht wirklich vorhandenen kontradiktorischen Gegensatz: »Die Tendenz ist also nicht: »Das Grab ist leer, also ist Jesus auferstanden; sondern sie ist gerade entgegengesetzt: Jesus ist auferweckt – er ist nicht hier – das Grab ist also (!) leer.« Das unabweisbare »also«, das die Parenthese vorher völlig abzuweisen gedachte (im übrigen unter Verkennung der Tatsache, daß dieser Nominalsatz ja als kausales (!) Asyndeton zugesetzt ist), zeigt, daß nur eine Scheinalternative vorliegt, denn hier wird schlicht die Unterscheidung von Realgrund und Erkenntnisgrund nicht beachtet. Ob man mit dem Realgrund auf den Erkenntnisgrund verweist oder umgekehrt, ist lediglich ein textpragmatischer Unterschied nicht aber ein semantischer. Der Sache nach laufen beide Sätze auf dasselbe hinaus, nämlich auf den festen logischen Bedingungszusammenhang beider Sachverhalte. Der hier als real behauptete und massiv demonstrierte Folgesachverhalt weist als Erkenntnisgrund auf den Realgrund der Auferweckung. Dies ist ein in reduktiver Schlußfolgerung geführter Beweisschluß als Indizienbeweis (die Verwechslung von Deduktion und Reduktion unterläuft *Wilckens 1975, 132* ein zweites Mal zu 1Kor 15,13 f, was zu einer verhängnisvollen Fehldeutung der paulinischen Argumentation dort führt! Vgl. zur produktiven Reduktion: *Bocheński 1973, 75 f 100–103*). Typisch ist, daß *Grass ebd.* fortfahren kann: »Natürlich soll die ganze Geschichte dann auf's Sinnfälligste die Realität der Auferstehung unterstreichen«; und *ebd. Anm. 2:* »Richtig interpretiert Hieronymus (bei *Klostermann Mk 171*): ›Wenn ihr meinen Worten nicht

glaubt, so glaubt dem leeren Grabe‹.« Meint Lindemann, »der demonstrative Hinweis auf das leere Grab« sei »lediglich(!) eine Illustration«, dann ist er aber im Sinne des Mk eine wesentliche, stichhaltige und als Indizienbeweis durchschlagende Illustration.

139 *Strecker 1980, 184.*

140 K. *Berger, Die Amen-Worte Jesu. Eine Untersuchung zum Problem der Legitimation in apokalyptischer Rede (BZNW 39), Berlin 1970, 35–70, 147ff.*

141 Falsch ist darum die Erklärung von *Vielhauer 1978, 3455:* »Die Geschichte Jesu ... hat als ganze wie ihre einzelnen Teile (Geschichten, Worte) als Teile dieses Ganzen *Anredecharakter.* Das ›Buch der geheimen Epiphanien‹ ist *euaggélion.*« Dieses Argumentationsgefälle »weil Anredecharakter, darum Evangelium« und umgekehrt markiert nur die festgefahrene Stereotypie von forschungslogisch überholten Klassifikationsmustern.

142 J. L. *Houlden, Patterns of Faith. A study in the relationship between the New Testament and Christian doctrine, London 1977, 37:* »This message is not, in Mark, bound up noticeable with carefree joy.« Mk 6,20 ist das zwiespältige »Gern-Hören« des Herodes Antipas erläuternde Bebilderung von Mk 4,16; ebenso 12,37b.

143 *Sjöberg 1955, 2, 13; Stuhlmacher 1968, 133f.* 2Bar 77,12 charakterisiert nicht nur den dort folgenden Brief als ›grt‹ djwlpn' (=*epistolè didaskaliké* »Lehrbrief«) und *krk' dsbrt'* (=*biblion euaggelikón* »Evangelienbuch«), sondern das voranstehende »auch« hat zugleich eine Verweisfunktion auf das, was in 2Bar voransteht. Nachdem H. Gressmann auf diese beiden »wertvollen literarischen Gattungsnamen« aufmerksam gemacht hatte (bei B. *Violet, Die Apokalypsen des Esra und des Baruch in deutscher Gestalt, Paris 1907, 350),* folgerte *Stuhlmacher 1968, 133f Anm. 3:* »Von diesem Material aus geurteilt, könnte dem neutestamentlichen Evangelium bereits in der Frühzeit das Problem der Tradition und Traditionsbildung inhärent sein.« Nimmt man das weniger holistisch als es formuliert ist und sieht man von dem Problem der zeitlichen Präzision einmal ab, so läßt sich doch wenigstens auf Mk und was ihm folgte diese Beobachtung anwenden. Auch in diesem Wortfeld kann also *didáskein* synonym sein (so im Anschluß an 2Bar auch 3Bar=ParJer 7,32 im Verhältnis zu 3,15; 5,21). So verhält es sich auch bei diesem mk Vorzugswort, das als Synonym zu »Evangelium« ebenfalls eine Heilsplanbezeichnung ist, wenn speziell Mk 8,31; 9,31 die Leidens-, Sterbens- und Auferweckungsvorhersagen als *didache* – also »Heilsplanenthüllung« – metasprachlich gekennzeichnet werden, wiewohl man sie fälschlich oft als »Passionskerygma« benennt (vgl. dagegen schon E. *Schweizer, Anmerkungen zur Theologie des Markus.* In: *Ders., Neotestamentica, Zürich 1963, 93–97, 96,* dem *Vielhauer 1978, 341 Anm. 18* zustimmt). 2Bar beweist, daß schriftliche Buchbildung unter diesen Termini gerade als eschatologisches Testament möglich ist. Im Kontext dieser frühjüdischen Sprachentwicklung, bei der seit Sir 8,9 *schmw'h* (»Lehrvortrag«) und damit synonym *bswrh* Terminus technicus für »Lehrtra-

dition« werden konnte, beweist erneut, daß der Hauptakzent auf dem semantischen Gehalt und weniger auf dem konnotativen Element einer »Guten Nachricht« auch in der griechischen Übersetzung liegt.

144 So *Conzelmann 1976, 158f, 160f* nach *ders., ZThK 54, 1957, 295.*

145 Es wundert darum nicht, wenn *D. Lührmann, Biographie des Gerechten als Evangelium. Vorstellungen zu einem Markuskommentar, WuD 14, 1977, 25–50* von den besonders von ihm geförderten Einsichten in das Revelationsschema her zu einem biographischen Verständnis der Evangelien vorstößt. Dagegen verbindet die holistische Frageweise *Stuhlmachers* (»der(!) neutestamentliche Begriff« Evangelium als Antithese zu einem doppelten Evangeliumsbegriff »ganzheitlich«) mit der Intention, »die(!) Entwicklung des(!) Evangeliumsbegriffs zum Interpretament geschichtlicher Evangelientradition als *historisch folgerichtig*(!)« zu »erweisen« *(1968, 46)*, letztlich mangelnde Differenzierung in der diachronischen Semantik noch mit einer fragwürdigen hegelsch-troeltschschen Geschichtsphilosophie.

146 Der symbolisch gemeinte Charakter der Zweistufigkeit wird klar herausgearbeitet von *E. S. Johnson, Mark 8,22–26: The Blind Man of Bethsaida, NTS 25, 1978/79, 370–383,* der aber die zweite Stufe zu pauschal als »nachösterlich« bestimmt.

147 *J. G. Gager, Das Ende der Zeit und die Entstehung von Gemeinschaften.* In: *W. A. Meeks (hg.), Zur Soziologie des Urchristentums (ThB 62), München 1979, 88–130, 100.* Von daher erweist sich das ganze Konzept einer neutestamentlichen Theologie von *Goppelt 1980, 54ff* unter dem Postulat einer »Weiterverkündigung Jesu« als eine trügerische und nicht tragfähige Plattform.

148 *E. Adler, Kritische Anfragen. Zu einer Tagung über »Rassismus in Kinder- und Schulbüchern«, ZdZ 33, 1979, 131–133, 132f.* Aus Mangel an exakter Texterfassung und Verzicht auf Sachkritik kommt es zu solchen Verstiegenheiten, daß ein Pfarrer sich und seinen Hörern einreden will, der mk Jesus behandele in der Tempelreinigung Mk 11,15–19 seine Antagonisten als ebenbürtige Partner im »Streit« und nicht als »Feinde«. Dies kann man wohl nur unter der Voraussetzung behaupten, daß niemand den Text wirklich selbst liest und daß niemand einer solchen Darstellung antwortend widerspricht, womit die Kommunikationsstruktur der normalen »Predigt« oder »Andacht« selbst von einer dem Redaktor Mk analogen autoritären Art ist. Die von der klassischen synoptischen Formgeschichte Bultmanns als »Streitgespräche« nicht beschreibungsadäquat bezeichneten Textsegmente, gegen die selbst schon Dibelius Widerspruch einlegte, sind eher Scheltreden.
Wenn *P. E. Lapide, Der Rabbi von Nazareth, Trier 1974, 77* empfindet, daß die sogenannten Evangelien »vier tendenziöse Schwarzmalereien« seien, »in denen Jesus progressiv göttlich, ›die Juden‹ immer bösartiger, die Apostel dümmer, die Römer aber schrittweise sympathischer werden«, so sollte man das als Lesererfahrung eines Menschen, der nicht kirchlich sozialisiert ist, erst

einmal ernst hören und nicht das fatale Argument »der Gesamtheit der evangelischen Texte« gegen die diskutable Hypothese einer ausnahmslos toratreuen Haltung Jesu aufbieten – als ob dies angesichts der traditionskritischen Arbeit noch ein stichhaltiges Argument wäre (gegen *W. G. Kümmel, Ein Jahrzehnt Jesusforschung (1965–1975), ThR 41, 1976, 197–258, 206 f*). Um ausnahmsweise biographisch zu argumentieren: Wer in einer unkirchlichen Atmosphäre durch die Lektüre des Neuen Testaments dennoch Christ wurde und dies in dieser Umgebung zehn Jahre als Laie lebte, weitere zehn Jahre in total entkirchlichten Umgebungen als Pfarrer arbeitete und ein weiteres Jahrzehnt im Lehramt Theologen für die Leitung christlicher Gemeinden in nichtchristlicher Umwelt auszubilden sich bemüht hat, wird solche Leser-Erfahrungen anders beurteilen, als in Kümmels Literaturbericht geschieht, der zu sehr die Situation eines noch vorhandenen Corpus Christianum dokumentiert. Dasselbe gilt es auch gegenüber *R. Augstein, Jesus Menschensohn, Gütersloh 1972, 304* zu bewähren: Daß er »ständig mit quellenkritisch haltlosen Behauptungen argumentiere« und »ihm überhaupt jegliche Traditionskritik fehle« *(Kümmel ebd. 205)*, wird man angesichts der in diesem Zusammenhang von Augstein beachteten Mk-Priorität und dem Sachzusammenhang nach nicht ohne Unrecht den lukanischen Beispielerzählungen gegenüber (vgl. nur *G. Sellin, Lukas als Gleichniserzähler, ZNW 65, 1974, 166–189,* und *66, 1975, 19–66*) behaupten können, und das umso weniger, wenn man das unmögliche Argument von der »Gesamtheit der evangelischen Texte« (s. o.) sich nicht scheut zu verwenden. Eher ist zuerst einmal ernsthaft zu hören, daß auch Augsteins Lese-Kondensationen inhumane Züge in den Evangelien empfinden: »Die Evangelien enthalten vielerlei Widersprüche, aber auch Eindeutigkeiten wie: Und willst Du nicht ein Christ sein, so schlag ich dir den Schädel ein.« *(335* – Auch abgesehen von dieser überzogenen, aber im übrigen ja durch idiomatischen Gebrauch schon abgemilderten Formulierung ist doch das sich darin meldende Sachproblem bei der Lektüre der Evangelien heute nicht mehr zu überhören).

Wenn *P. Stuhlmacher, Schriftauslegung auf dem Wege zur biblischen Theologie, Göttingen 1975, 110 f, 168* Augstein nur als Symptom für einen angeblichen Substanzverlust der neutestamentlichen Bibelwissenschaft und einer daraus entstehenden Verunsicherung und Skepsis nehmen kann, ist dies leider nur ein Zeichen einer bedenklichen apologetischen Regression, die die Fehler gern überall außer in den Kirchentümern selbst sucht. Wie dagegen angemessen von der Freiheit der theologischen Existenz her auf Augsteins Herausforderung reagiert werden kann, zeigte demgegenüber *G. Harbsmeier, Anstöße (GThA 7), Göttingen 1977, 336* (»Die sich selbst nicht mehr geliebt wissen«), der eine solche Artikulation menschlicher Existenz abseits der herkömmlichen Kirchentümer für uns als ebenso nützlich wie unentbehrlich ansieht. So sollte man auch hier eher mit *A. Schlatter* »Laien und Geistliche nur bitten, sich nicht weichlich vor der Anstrengung zu scheuen« *(Hülfe in Bibelnot, Stuttgart ²1928, 254 f)*.

149 *A. Klein, Unterhaltungs- und Trivialliteratur.* In: *Arnold-Sinemus 1978,*

431–444, 442f; vgl. H. Kreuzer, Trivialliteratur als Forschungsproblem, DVfLG 41, 1967, 173–191; J. Bark, Trivialliteratur. Überlegungen zur gegenwärtigen Situation, StZ 41, 1972, 52–65; G. Giesenfeld, zum Stand der Trivialliteratur-Forschung, Das Argument 14, 1972, 233–242.

150 E. Fried, Lebensschatten, Berlin 1981, 42; im Blick auf einen zweifelsfrei vorliegenden »originär christlichen Antisemitismus« kann man nicht davor die Augen verschließen, »daß das überkommene, herrschende Christentum, unbeschadet aller Differenzierung im einzelnen, einen mörderischen Charakter hat und, wenn weitere Umstände der Zeit begünstigend und verstärkend hinzukommen, auch zum Ausdruck zu bringen vermag, und sei es durch ein dogmatisch gesichertes gewissenloses Unberührtsein von Vernichtungsaktionen«: Chr. Bartsch, Frühkatholizismus als Kategorie historisch-kritischer Theologie. Eine methodologische und theologiegeschichtliche Untersuchung (SJVCG 3), Berlin 1980, Anhang XXXVII.

151 J. D. Kingsbury, Matthew: Structure, Christology, Kingdom, London ²1976, 128–160, 146; vgl. G. Strecker, Der Weg der Gerechtigkeit (FRLANT 82), Göttingen ³1971, 166–172; W. Trilling, Das wahre Israel (EThSt 7), Leipzig ³1975, 143–151; A. Kretzer, Die Herrschaft der Himmel und die Söhne des Reiches (SBM 10), Stuttgart 1971; W. Schenk, Studienheft zu sieben Texten aus dem Matthäusevangelium, Berlin 1977.

152 Kingsbury 1976, 130f, 136f mit Dibelius 197x, 264 Anm. 1; J. Schniewind, Das Evangelium nach Mt (NTD 2), Göttingen ¹²1977, 241; O. Michel, Art. Evangelium RAC VI, 1107–1160, 1114; R. Walker, Das Heilsgeschehen im ersten Evangelium (FRLANT 91), Göttingen 1967, 81 Anm. 24. Es ist gegen Marxsen 1959, 135–139; Bornkamm 1958, 760 nicht nur auf die Reden bezogen. Dagegen hat Strecker 1971, 128f mit Schlatter mit Recht Einspruch erhoben und Stuhlmacher 1968, 241f wie E. Schweizer, Gesetz und Enthusiasmus bei Mt. In: Ders., Beiträge zur Theologie des Neuen Testaments, Zürich 1970, 49–70, 54f (= NTS 16, 1969/70, 217) sind ihm mit dem Hinweis auf den Erzählungsbezug der letzten Stelle gefolgt. Dennoch sträuben sie sich mit E. Klostermann, Das Matthäusevangelium (HNT 4), Tübingen 1927, 193; Friedrich ThWNT II, 726 vergeblich gegen eine Gleichsetzung mit dem ganzen Buch, weil sie mangels Textsemantik das anaphorische Demonstrativum von Mt 26,13 nicht berücksichtigen und diese Stelle ungerechtfertigt eng auf die Passionserzählung einengen wollen, ohne daß das im Text angezeigt wäre, und weil sie mangels diachronischer Wortsemantik einen zu einheitlichen Evangeliums-Begriff voraussetzen, der mit ungeklärten Verhältnisbestimmungen von »Verkündigung« und »Lehre« zusammenhängt. Deutlich heraus treten die falschen Voraussetzungen in der Argumentation bei Stuhlmacher 1968, 241: Das mit Genitivsyntagma »Evangelium des Reiches« wäre »nur(!) mit Hilfe eines Begriffes von eyaggélion« zu bilden »möglich« gewesen, »welcher terminologisch nicht(!) auf die Bedeutung ›Christuspredigt‹ festgelegt war. Einen solchen Begriff bot nur(!) die palästinensische und jüdische Tradition, wie Tg Jes 52,7 lehrt. Daß

Mt noch in seiner Zeit(!) auf einen solch traditionellen Evangeliumsbegriff zurückgreifen konnte(!), ist traditionsgeschichtlich ungemein aufschlußreich, beweist(!) es doch, daß sich die Terminologie der hellenistischen Missionsgemeinde, in welcher absolutes(!) *tó eyaggélion*=Christusbotschaft heimisch gewesen sein dürfte, keineswegs das ganze kirchliche Terrain erobert hat.« Hier wird deutlich, zu welchen Konsequenzen die falsche Klassifikation von einem »absoluten Begriff« von Evangelium führen kann. Gegen Stuhlmacher spricht abgesehen von der mt Textsemantik und der Abhängigkeit von Mk, daß man nicht einerseits in diesem Syntagma eine absolute Verwendung von *basileía* (völlig zu Recht) als jung und hellenistisch und andererseits die Tatsache des Syntagmas als solche als »alt« bezeichnen kann. Dieses »Daß« kann nicht anders bestimmt werden als das es konstituierende »Was«. Solche Ungereimtheiten können nur vermieden werden, wenn man die Tatsache einer möglichen Genitivverbindung nicht als besonderes Kennzeichen alten Stils nimmt, sondern bescheidener nur dafür heranzieht, daß der Ausdruck »Evangelium« als solcher noch flexibel und eben kein solcher Terminus technicus war, wie man behauptet, was im übrigen mit der textsemantischen Entmythisierung des angeblich »absoluten Begriffs« ohnehin schon klargestellt war. Obwohl nun *Strecker* selbst genügend gegen das Vorurteil einer Judenchristlichkeit des Mt ins Feld geführt hat, folgt er doch *1980, 185* leider Stuhlmacher insofern, als auch er aus der bloßen Tatsache des mt Syntagmas folgert, »daß mt eine offene(!) Verwendung des Begriffs(!) vor(!) gefunden hat und darin vor(!)-ntl. (griech.-hellenistischen) Sprachgebrauch reflektiert(!).« Angesichts der christologischen Bestimmtheit des mt *basileía*-Begriffs sind das alles überflüssige und abwegige Erwägungen.

153 Vgl. *Kingsbury's 1976, 1–39* klärende Strukturanalyse im Anschluß an die unabweisbaren Beobachtungen von Lohmeyer, Schmauch und Stonehouse.

154 *Ebd. 143.*

155 Ebd. *42–83.*

156 *Ebd. 33 Anm. 128.*

157 So evangelienharmonistisch und undifferenziert leider noch G. *Schneider* EWNT II, *1980, 450.*

158 J. M. Nützel, *Die Verklärungserzählung im Markusevangelium (FzB 6)* Würzburg 1973, 232f; R. Kratz, *Auferweckung als Befreiung. Eine Studie zur Passions- und Auferweckungstheologie des Mt (SBS 65)*, Stuttgart 1973, bemüht sich vergeblich, vor-mt Material herauszuarbeiten, weil er damit zu deduktivistisch-formgeschichtlich verfährt und starke mt Redaktion zugeben muß. Noch weiter ging N. *Walter, Eine vor-mt Schilderung der Auferweckung Jesu*, NTS *19, 1972/73, 415–429*, weil er entsprechende Parallelen im EvPetr als von Mt unabhängig ansehen wollte; doch vgl. dagegen G. M. *Mara, Evangile de Pierre*, Paris *1973, 29–33*: Eine Meditation über die Passionsdarstellungen der vier Evangelien; J. *Denker, Die theologiegeschichtliche Stellung des*

Petrusevangeliums. Ein Beitrag zur Frühgeschichte des Doketismus, Frank-furt 1975. Auch bei Walter ist das Verhaftetsein an die klassische synoptische Formgeschichte ausschlaggebend. Beide berücksichtigen zu ihrem Nachteil F. Neirynck, *Les femmes au tombeau: Etude de la rédaction matthéenne* (Mt 28, 1–10), NTS 15, 1968/69, 168–198 überhaupt nicht und *I. Broer, Die Urgemeinde und das Grab Jesu* (SANT 31), München 1972, 60–78 zu wenig. Die mt Behauptung von der jüdischen Lüge (falls sie einen historischen Kern hat und nicht überhaupt nur ein literarisches Mittel des Mt ist, was nicht ausgeschlossen werden kann), setzt als außertextlichen Sachverhalt ja nicht schon das Faktum, sondern nur entsprechende kirchliche Argumente voraus: »Die Geschichte setzt voraus, daß die Verleumdungen der Juden, die Jünger hätten den Leichnam beiseite geschafft, bereits im Schwange sind und will dem wirksam entgegentreten.« Dies wiederum »setzt voraus, daß die Christen selbst in ihrer Auferstehungsverkündigung schon mit dem leeren Grab kräftig argumentierten, worauf die Juden mit ihren Verleumdungen antworteten und die Christen wiederum mit der Wächtergeschichte replizierten«: *H. Grass 1970, 23 f* nach J. Finegan, *Die Überlieferung der Leidens- und Auferstehungs-geschichte Jesu* (BZNW 15), Berlin 1934, 87; vgl. nach Broer auch *Vögtle 1976, 110f Anm. 32.* Dies wird noch deutlicher, wenn man dies als mk Mythologumenon ansehen muß, so daß der Streit erst durch Mk und im Umkreis des Gebrauchs seines Buches möglich war.

159 *Walker 1967, 73f*; zum ganzen: *Kratz 1973; D. Wenham, The Resurrection-Narratives in Matthew's Gospel, TynB 24, 1973, 21–54; J. Lange, Das Erscheinen des Auferstandenen im Evangelium nach Matthäus. Eine traditions- und redaktionsgeschichtliche Untersuchung zu Matthäus 28, 16–20 (FzB 11), Würzburg 1973; C. H. Giblin, Structure and Thematic Correlations in the Matthean Burial-Resurrection Narrative (Mt 27,57–28,20), NTS 21, 1974/75, 406–420; ders., A Note on Doubt and Reassurance in Mt 28,16–20, CBQ 37, 1975, 68–75.*

160 Zur literarkritischen Analyse des hier m. E. verwendeten jüdischen Liedes: *W. Schenk 1974, 75–81; D. Senior, The Death of Jesus and the Resurrection of the Holy Ones, CBQ 38, 1976, 312–329; M. Riebl, Auferstehung Jesu in der Stunde seines Todes? Zur Botschaft von Mt 27, 51b–53 (SBB 8), Stuttgart 1978.*

161 Die lk Biographiekonzeption ist am deutlichsten herausgestellt bei *U. Busse, Die Wunder des Propheten Jesus* (FzB 24), Stuttgart 1977, *57ff* zu Lk 4,14 ff, *186ff* zu Lk 9,10ff. Vgl. *W. Schenk, Studienheft zu sieben Texten aus dem Lukasevangelium, Berlin 1980; ders., Glaube im lukanischen Doppel-werk.* In: *F. Hahn (hg.), Glaube im Neuen Testament* (FS H. Binder), Neukirchen 1982.

162 *Rothfuchs 1969, 147–151, 148*; vgl. *M. Rese, Alttestamentliche Motive in der Christologie des Lukas* (SNT 1), Gütersloh 1969 passim.

163 *Houlden 1977, 42, 46*; vgl. insgesamt *P. Schubert, Structure and*

Significance of Luke 24. In: *FS Bultmann* ²1957, 165–186; *A. R. C. Leaney, The Resurrection Narratives in Luke (24,12–53)*, NTS 2, 1955/56, 110–114; *E. Lohse, Die Auferstehung im Zeugnis des Lukasevangeliums (BSt 31)*, Neukirchen 1961; *I. H. Marshall, The Resurrection of Jesus in Luke*, TynB 24, 1973, 55–98.

164 *P. Stuhlmacher* EKK. V 4, Zürich-Neukirchen 1972, 42 nach Trilling.

165 *A. Schweitzer, Die Mystik des Apostels Paulus*, Tübingen 1930, 218; vgl. *Sanders* 1977 passim.

166 *H. Thyen, Aus der Literatur zum Johannesevangelium*, ThR 39, 1974, 1–69 + 222–252 + 289–330, 66, 223, 240.

167 *W. Baldensperger, Der Prolog des vierten Evangeliums. Sein polemisch-apologetischer Zweck*, Freiburg 1898. Ihm folgten Bultmann, Schäder, Bauer, Stauffer und ursprünglich auch S. Schulz, der sich später Käsemanns nicht haltbarer Bestimmung eines christlichen Ursprungs (»Weihnachtslied«) zuwandte, während täuferischer Ursprung allein die Glossen zureichend erklärt: Johannes ist nur »Mensch« (1,6), während Jesus im ganzen Buch nie »Mensch« genannt wird. *H. Thyen* 1974, 53–55 verteidigt darum überzeugend diese Genese.

168 *E. Mühlenberg, Das Problem der Offenbarung in Philo von Alexandrien*, ZNW 64, 1973, 1–18, 16 f; das stereotype Argumentationsmuster, daß es für »die Menschwerdung des Logos« »keine außerchristliche Vorlage« gäbe (*W. Schmithals, Der Prolog des Johannesevangeliums*, ZNW 70, 1979, 16–43, 35), erweist sich so als Vorurteil. Die Annahme eines täuferischen Ursprungs des Prologs hat so nicht »nur den Wert einer modernen biographischen Legende« (gg.) *J. Becker, Das Evangelium nach (bzw.: »des« im Außentitel des 1. Bandes!) Johannes (ÖTK 4)*, Gütersloh-Würzburg 1979/81, 75.

169 *R. E. Brown, The Gospel according to John*, London ²1978, I. XXXIV–XXXIX; *B. Lindars, Behind the Fourth Gospel*, London 1971, 27 ff; ders., *The Gospel of John (NCB)*, London 1972, 618 ff; zustimmend *Thyen* 1974, 316 f sowie ThR 42, 1977, 227.

170 Vgl. meinen Einzelnachweis zu Joh 19, 16b–37: *Schenk* 1974, 123–139; ders., EPM 1, 1972/73, 25–30 zu Joh 1,19–28 und ders., EPM 11, 1982/83 zu Joh 12,44–50. Typisch ist, daß die Bestreitung des Sachverhalts bei *J. Becker* 1979, 36–38 den Forschungsbericht von *J. Blinzler, Johannes und die Synoptiker (SRS 5)*, Stuttgart 1965, nicht erwähnt. »Meditation« verstehe ich in dem Zusammenhang als eine Textverwendung, die »mehr oder weniger zufällig, assoziativ, im -anschluß an die Textaussagen entwickelt« ist; »ein Stichwort, ein Thema oder ein bestimmtes Problem gaben den Anstoß dazu«: *J. Blank, Das Evangelium nach Johannes (GSL 4/1 a)*, Düsseldorf 1981, 8. Jedoch ist dessen Terminus einer »sprachkompetenten Transformation« (*ebd.* 32) eine irreführende Fehlklassifikation, denn mit »ziemlich radikal transformiert« wird unter Mißbrauch des Transformations-Begriffs letztlich nur das

simple Aggiornamento-Modell der »Bedeutsamkeit Jesu für ihre eigene Zeit«, das »Jesus auf neue Weise predigen läßt« *(ebd.)* weitergetragen. Die Probe auf's Exempel für diese wortfetischistische Verwechslung von Wort und Tatsachen ist typischerweise die frühe gnostische Nachgeschichte des vierten Evangeliums, denn Herakleon, seinem ersten Kommentator wird nicht solche »Transformation« zugestanden, vielmehr »wissen wir hier freilich« plötzlich, »daß die frühe gnostische Exegese die neutestamentlichen Texte einem fremden Denkschema unterwarf und sie gegen ihren Wortlaut interpretierte« *(ebd. 54)*. Doch was Herakleon recht ist, ist Joh billig – vgl. zum Problem der pseudosemantischen Diachronie bei Rezeptionsvorgängen grundsätzlich: W. *Schenk, Textverwendung in Frühjudentum, Frühkirche und Gnosis.* In: K. W. *Tröger (hg.), Altes Testament – Frühjudentum – Gnosis, Berlin/Gütersloh 1980, 299–313.*

171 Darin ist H. *Thyen, ThR 42, 1977, 218, 232* voll beizupflichten.

172 So H. *Köster–J. M. Robinson, Entwicklungslinien durch die Welt des frühen Christentums, Tübingen 1971, 179–184, 204–208, 223–251;* O. *Cullmann, Der johanneische Kreis, Tübingen 1975, 26 ff;* dabei wirkt R. *Bultmann, Exegetica, Tübingen 1967, 102* nach, mit der suggestiven Vermutung, das joh Christentum könnte sogar noch einen älteren Typ darstellen als das synoptische. Dem neigt auch *Thyen 1974, 45; 1977, 229, 252* unverkennbar zu; wenn sein Schüler W. *Langbrandtner, Weltferner Gott und Gott der Liebe (BBET 6), Bern/Frankfurt 1977* nachweisen soll, »daß die joh Grundschrift ein den Synoptikern gegenüber völlig selbständiger und gleichursprünglicher Evangelientyp« sei, so dürften semantische Präzisionen des ganzen Buches eine solche »Grundschrift« noch weiter zusammenschmelzen lassen.

173 Vgl. *Schenk 1981, 57–59;* F. *Christ, Jesus Sophia (AThANT 57), Zürich 1970, 86–93; Blank 1981, 61.*

174 Th. *Lorenzen, Der Lieblingsjünger im Johannesevangelium (SBS 55), Stuttgart 1971, 87* – wobei in der Sache aber das im Zitat naiv verwendete Ostervokabular als nicht beschreibungsadäquat zurückzunehmen wäre.

175 H. *Thyen ThR 42, 1977, 213–261, 243.* Diese einheitliche Doppelheit von idealer Symbolgestalt und historischer Person ist schon von W. *Grundmann, Zeugnis und Gestalt des Johannesevangeliums (AVThR 19), Berlin 1961, 16–20* im Anschluß an und in Überwindung des rein symbolischen Konzepts von A. *Kragerud, Der Lieblingsjünger im Johannesevangelium, Oslo 1959* entwickelt worden. Diese Auffassung hat sich weitgehend durchgesetzt: J. *Becker 1981, 434–439,* der aber das Gewicht der Strukturparallelen zur Paraklet-Funktion, die er zwar sieht, unterschätzt und darüber hinaus für diesen Teil der Hypothese eine ausdrückliche In-Beziehung-Setzung als Voraussetzung fordert. Dies dürfte textlinguistisch geurteilt eine Unterschätzung der Strukturparallelen wie eine unbillige Überforderung der Hypothese-Bedingungen sein *(ebd. 439).* Auch der Verweis der Lazarus-Stellen (Joh

11,5.13.40) in den Bereich der »modernen biographischen Legende« (ebd. 435) entledigt sich zu schnell eines vom Text tatsächlich aufgegebenen Problems, das von der Symbolstruktur des ganzen Kapitels her ebenso im Sinne des »personalisierten Selbstverständnisses der« joh »Gemeinde« (ebd. 439) lösbar ist.

176 Thyen 1977, 254 in Anknüpfung und Widerspruch zu R. Schnackenburg, Das Johannesevangelium III (HTK 4/3), Freiburg 1975, 455, der es im Anschluß an Lindars 1972, 641 als »Imprimatur der(!) Kirche« im Sinne von Großkirche mißversteht, weil beide noch auf der Linie von Bultmanns »kirchlichem Redaktor« denken. Doch bleibt auch Thyen noch zu stark auf der Kontinuitätslinie, wenn er im Anschluß an Lorenzen 1971, 101ff urteilt, daß hier »Maßstäbe des zukünftigen und universalen Kanonisierungsprozesses geschaffen und antizipiert werden« (ebd.). Das ist im Sinne des hier verhandelten Gesamtproblems einer neutestamentlichen Theologie zu modifizieren: Schon die feste technische Bedeutung der apostolischen Rede vom »Übernehmen« und »Übergeben« des »Evangeliums« macht Paulus »zum ersten Theologen eines neuen, auf die Geschichte Christi gegründeten Kanons ... Er steht damit, wie er selbst bezeugt, in seiner Zeit und Generation durchaus nicht allein. Aber die junge hellenistische Kirche ... ist in dieser Hinsicht nicht in seiner Bahn geblieben« (von Campenhausen 1968, 139 vgl. 150, 159). Den bei Paulus bezeugten kanonischen Ansätzen, die im Verweis auf den vorgegebenen Kanon bestehen, steht die eigenmächtige Selbstkanonisierung der wesentlichen nachapostolischen Schriften gegenüber. Die Summierung beider im späteren großkirchlichen Kanon muß nicht nur diesen zwangsläufig wieder sprengen, sondern zugleich auch die rivalisierenden Kanons- und Grundlagenansprüche der entsprechenden Schriften bestreiten. Da wir es mit drei verschiedenen Kanonsbegriffen zu tun haben, steht der apostolische Urkanon sowohl den verschiedenen, schon miteinander rivalisierenden Ausprägungen des pseudapostolischen Selbstautorisierungskanons entgegen als auch dem marcionitischen oder großkirchlichen Additionskanon.

177 W. Schenk, Art. »Glauben – neutestamentlich«, Theologisches Lexikon, Berlin ²1981, 220f nach den letzten Zusammenfassungen bei R. Schnackenburg, Das Johannesevangelium I (HTK 4/1), Freiburg ³1972, 508–524 und D. Lührmann, Glauben im frühen Christentum, Gütersloh 1976, 60–69.

178 E. Haenchen, Der Vater, der mich gesandt hat, NTS 9, 1962/63, 208–216=ders., Gott und Mensch, Tübingen 1965, 68–77.

179 Lührmann 1976, 67.

180 Wie Lührmann 1976, 69 meint.

181 So W. A. Meeks, Die Funktion des vom Himmel herabgestiegenen Offenbarers für das Selbstverständnis der joh Gemeinde. In: Ders., Zur Soziologie des Urchristentums (ThB 62), München 1979, 245–283, 272.

182 Ebd. 279.

183 *Ebd.*; vgl. vor allem H. Leroy, *Rätsel und Mißverständnis (BBB 30), Bonn 1968, 46 ff*; zustimmend *Meeks ebd. 252 Anm. 16*: »Um die Wahrheit zu erfahren« – sprich: die für Außenseiter unverständliche Sondersprache der Gen einschaft erfassen – »muß man Mitglied dieser Gemeinde werden«; vgl. auch *Becker 1979, 135 f*, während *Thyen 1977, 265* Leroys Differenzierungen zu unterschätzen scheint.

184 M. *Lattke, Einheit im Wort (SANT 41), München 1975, 160, 174, 193, 220–227*; ders., *Erlösung, Erlöser und Erlöste im Johannesevangelium, BiKi 30, 1975, 118–122, 122*.

185 Die prinzipielle Bestreitung des Sachverhalts von *Becker 1979, 36–38, 38*: »Der joh Gemeindeverband kennt auf keiner theologie-geschichtlichen Stufe auch nur eines der synoptischen Evangelien« beruht auf einer petitio principii eines traditionsgeschichtlichen Konstruktivismus, für den nicht nur »statistische Objektivität längst entthront« ist *(ebd. 34)*, sondern der das Prinzip des Primats der Synchronie vor der Diachronie (vgl. M. *Theobald, Der Primat der Synchronie vor der Diachronie als Grundprinzip der Literaturkritik, BZ 22, 1978, 161–186)* ebenso verletzt wie das forschungslogische Prinzip des Primats der Induktion vor der Deduktion. Dies wirkt sich bei *Becker 1981, 603–651* dann auch entsprechend auf die Analyse der joh Ostergeschichten aus: Sogar dem Redaktor wird Synoptikerbenutzung abgesprochen.

186 F. *Neirynck, John and the Synoptics.* In: M. *de Jonge (hg.), L'Évangile de Jean (BETL 44), 1977, 73–106, 95 ff*; H. *Thyen, Entwicklungen innerhalb der joh Theologie und Kirche im Spiegel von Joh 21 und den Lieblingsjüngertexten des Evangeliums, ebd. 259–299, 288 ff*; ders., *ThR 1977, 251–253, 261–270.* Die Arbeit von R. *Mahoney, Two Disciples at the Tomb. The Background and Message of John 20,2–10 (ThuW 6), Bern/Frankfurt 1974* trägt für die beiden im Untertitel genannten Aspekte zu wenig aus: *Thyen ThR 1977, 255–258*.

187 *Thyen ThR 1977, 262* mit J. A. *Bailey, The Traditions Common to the Gospels of Luke and John (NT.S 7), Leiden 1973, 92* gegen die willkürliche Dekomposition von G. *Hartmann, Die Vorlage der Osterberichte in Joh 20, ZNW 55, 1964, 197–220, 210 ff*.

188 *Thyen ThR 1977, 213–261*; ders. *1977 a, 261–264*.

189 Th. *Zahn, Das Evangelium des Johannes (KNT 4), Leipzig* [6]*1921, 669*; F. *Neugebauer, Die Entstehung des Johannesevangeliums (AVThR 43), Berlin 1968, 10–13*, zustimmend *Schenk 1974, 138*; *Thyen 1974, 226*; *1977, 269*; *1977 a, 260 f*: »Diese nach 1 Joh 2,22 bezweifelte oder ausdrücklich geleugnete Identität wird durch die Lieblingsjüngerepisode (Joh 20,2–10), die Geistverleihung durch den mit dem Gekreuzigten identischen Auferstandenen (Joh 20,19–23; beachte besonders V. 20!) und die unmittelbar vorausgehende Thomaserzählung (Joh 20,24–29) sichergestellt.«

190 *Thyen 1977 a, 262*.

191 *Ebd. 265*.

192 *Ebd. 261 Anm. 7 gegen Bultmann z. St.* und *J. Heise, Bleiben (HUT 8), Tübingen 1967, 50,* der nicht nur diese Stelle biologisch mißversteht – wie es der Autor von den Nicht-Eingeweihten unter den Lesern geradezu intendiert –, sondern auch sonst den speziellen semantischen Bezug zum Buchkonzept und damit zu der spezifischen Christologie als semantischen Akzent übersieht, was aber im Gefolge der Fuchs'schen Pragmatik ohne Semantik (vgl. *Schenk 1975*) nicht verwunderlich ist.

193 *Thyen 1977a, 273 Anm. 36* wie *ThR 1977, 229* mit *C. K. Barrett, The Gospel according to St. John, London ²1978, 118f, 587f.*

194 *Vögtle 1976, 49.*

195 *Ebd. 50.*

196 *von Campenhausen 1968, 139f.* Daß die hermeneutische Alternative »Entweder Paulus oder Lukas« (so *G. Harbsmeier EvTh 10, 1950/51, 365* mit *Vielhauer*; vgl. *Käsemann 1972, 207–224; Schulz 1967, 254* und *1976, 132 ff*) »längst besserer Einsicht« hat »weichen müssen« (so *E. Grässer 1976, 276 Anm. 2* mit *W. Eltester, Lukas und Paulus, FS H. Hommel, Tübingen 1961, 1–17; P. Borgen, Von Paulus zu Lukas, StTh 20, 140–157; M. S. Enslin, Once again: Luke and Paul, ZNW 61, 1970, 253–271; E. Schweizer, Plädoyer der Verteidigung in Sachen Moderne Theologie versus Lk, ThLZ 105, 1980, 241–251*), ist zu bezweifeln, wenn die semantischen Gehalte nicht mittels pseudo-pragmatischer Argumente verbogen werden. Weder daß hier »Einsicht« vorliegt, noch daß diese »besser« sei, ist sicher. Im Gegenteil: Daß es sich im Vergleich beider um ein literaturkritisches Urteil über rivalisierend-widersprechende Konzepte handelt, ist eine nicht im Arbeitsgang Literaturkritik abzuschwächende Feststellung des vorangehenden Arbeitsschrittes der Literaturanalyse. Darum bleibt es verdienstvoll, daß *S. Schulz 1976, 109–123, 132–161* das Problem des Kriteriums für den zweiten Schritt wenigstens offen hält, und das auch für den, der seine Problemlösungsvorschläge meint so nicht übernehmen zu können. Darum urteilt *Grässer 1976, 287 Anm. 3* dann auch in umgekehrter Richtung gegen die neuere Lk-Verteidigung argumentierend: »M. E. wird auch der kritische Vergleich Pl–Lk durch den Aufweis von Vorstufen der Saulustradition nicht positiv entlastet (gegen Löning).« Doch eine Belastung könnte ja ohnehin nur bei denen vorliegen, die sich weigern, aus dem selbstgewählten Gefängnis eines höheren oder niederen Biblizismus auszuziehen, obwohl die Türen offen stehen.

197 Empirische Erhebungen könnten nachweisen, wie weit bestimmte Frömmigkeitskreise, die heute Lk mit der Apg für sich favorisieren, auch sonst primäre Konsumenten von Trivialliteratur sind. Stimmt die Vermutung: Wer Lukas liest (und liebt), liest (und liebt) auch die Bildzeitung? Vgl. zum christlichen Leseverhalten: *H. Schwenger, Das Weltbild des katholischen Vulgärschrifttums, München 1968; G. Schmidtchen, Protestanten und Katholiken, Bern–München 1973; J. Kreutzkam, Wenn Theologie und Philosophie allein nicht ausreichen, BBDB 36, 1980 (Nr. 43);* sowie die

Umfrageerhebungen: E. Noelle-Neumann – G. Schmidtchen, *Religiöses Buch und christlicher Buchhandel, Hamburg 1968; Infratest: Religiöses Buch und christlicher Buchhandel. Untersuchungen der Situation des katholischen Buchmarktes 1979, München–Kevelaer 1980; K. Teckentrup, Ein Teilmarkt – religiöse Bücher, BBDB 37, 1981 (Nr. 96).* Den Hinweis auf diese und andere einschlägige Untersuchungen danke ich Pfarrer W. Ullrich vom Landesverband evangelischer Büchereien Stuttgart.

THEOLOGISCHE EXISTENZ HEUTE

Herausgegeben von Trutz Rendtorff und Karl Gerhard Steck

CHR. KAISER VERLAG MÜNCHEN